HOUGHTON MIFFLIN

Inventa

INVITACIONES

Houghton Mifflin Company • Boston

Atlanta • Dallas • Geneva, Illinois • Palo Alto • Princeton

HOUGHTON MIFFLIN

Inventa

Autores principales

David Freeman
Yvonne S. Freeman

Autores

Margarita Calderón
Alan Crawford
J. Sabrina Mims
Tina Saldivar

Autores de consulta

J. David Cooper
John J. Pikulski
Sheila W. Valencia

Asesores

Dolores Beltrán
Gilbert G. García

Asesoras literarias

Yanitzia Canetti
Margarita Robleda
Edgar Miranda

INVITACIONES

Houghton Mifflin Company • Boston

Atlanta • Dallas • Geneva, Illinois • Palo Alto • Princeton

Cover and title page photography by Tim Turner.

Cover illustration from *The Little Painter of Sabana Grande,* by Patricia Maloney Markun, illustrated by Robert Casilla. Illustrations copyright © 1993 by Robert Casilla. Reprinted by permission of Bradbury Press, a division of Simon & Schuster Children's Publishing Division.

Acknowledgments appear on page 332.

ISBN: 0-395-78687-8

56789–xx–02 01 00 99 98

4

Temas

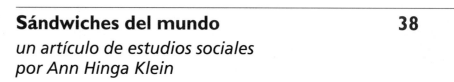

¡Buen provecho!

¿Qué tiempo hace?

LIBRO DE BOLSILLO **EXTRA**

El señor Viento Norte
un cuento de fantasía por
Carmen de Posadas Mañe

En el mismo libro...
datos sobre el viento

Días de yagua
ficción por
Cruz Martel

En el mismo libro...
un experimento y datos
sobre el tiempo

¡QUÉ DÍA!

LIBRO DE BOLSILLO **EXTRA**

¡Buen provecho!

·······Índice·······

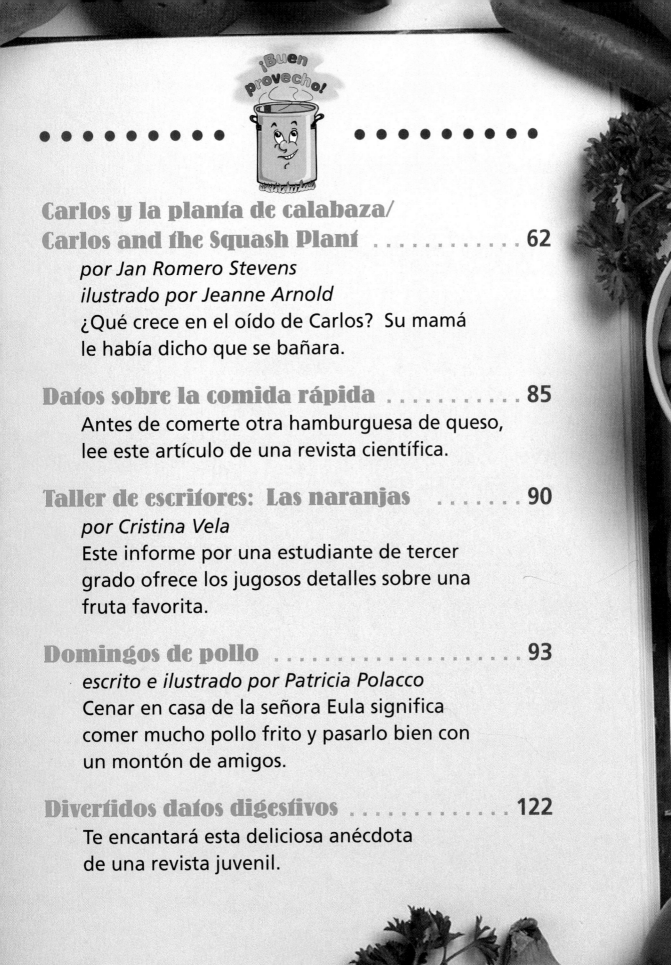

¡Buen provecho!

Lee por tu cuenta

El sancocho del sábado

por Leyla Torres
María Lilí siempre hace sancocho con sus abuelos. Aunque este día no tienen mucha comida, su abuela inventa una solución y preparan un sancocho riquísimo.

En el mismo libro. . .
Una receta deliciosa y reglas de seguridad en la cocina.

El sancocho del sábado

Leyla Torres

LIBRO DE BOLSILLO **EXTRA**

Libros para merendar

Todos cocinan con arroz

por *Norah Dooley*

Algunos lo comen con frijoles negros. Otros con una salsa de pescado llamada *nuoc choam*. Es el arroz —y todos los pueblos lo cocinan.

En el mismo libro. . .

Algunos datos sobre Puerto Rico, India, China y otros países.

Voy a cocinar

por *Maite Lasa*

Vente a la cocina y trata una de estas recetas populares.

Carlos and the Cornfield/ Carlos y la milpa de maíz

por *Jan Romero Stevens*

Cuando Carlos participa en la siembra de la milpa de maíz, aprende una lección importante: "Cosechas lo que siembras".

Santino el pastelero

por *Asun Balzola*

Algo sorprendente pasa cuando Santino prepara una tarta nupcial según las indicaciones de su jefe.

La montaña del alimento

por *Harriet Rohmer*

Ésta es una leyenda azteca de cómo el primer ser humano consiguió comida.

Caramelos de menta

por *Carmen Vázquez-Vigo*

Pepito y sus amigos tratan de conseguir dinero para reparar la tienda de Don Joaquín.

17

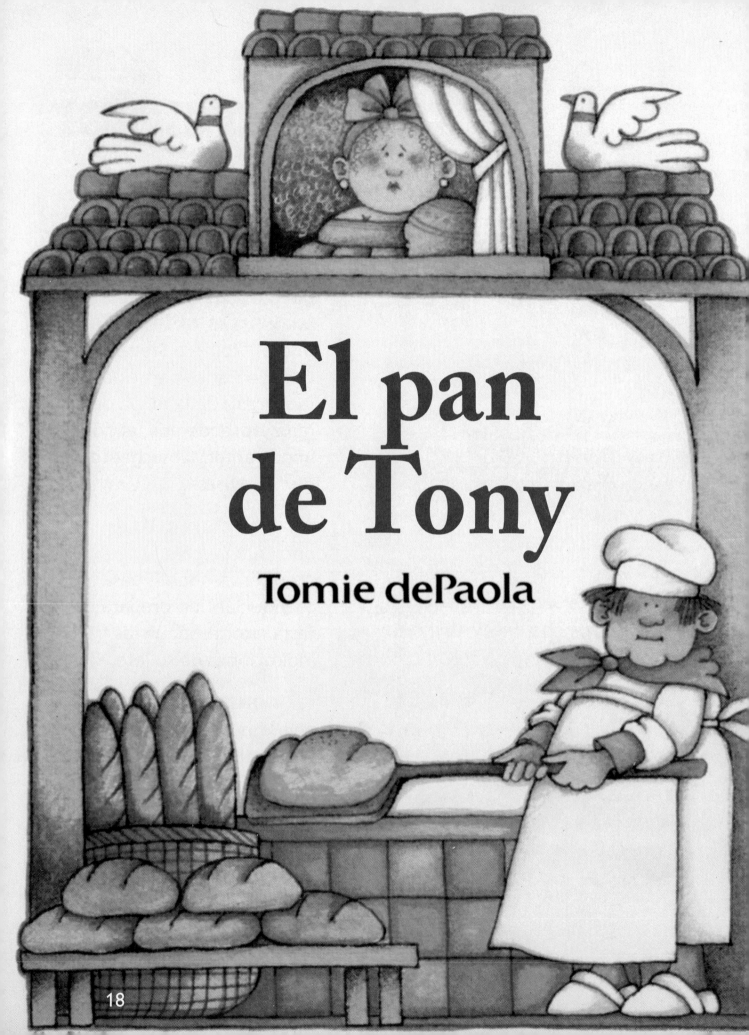

El pan de Tony

Tomie dePaola

Había una vez, hace mucho tiempo, en un pueblo pequeño a las afueras de la gran ciudad de Milán, un panadero que se llamaba Antonio. Pero todo el mundo lo llamaba Tony.

Tony hacía pan y sólo pan en su panadería. Era un pan bueno y sencillo, y a los habitantes del pueblo les encantaba. Pero Tony tenía un sueño. Algún día tendría su propia panadería en Milán y se convertiría en el panadero más famoso de todo el norte de Italia.

Entonces, Tony vivía con Serafina, su hija única.
Era viudo y había criado a Serafina desde que era *una
piccola bambina*, una niña. ¡Y cómo la había consentido!

—Antonio trata a Serafina como a *una principessa*,
una princesa —dijo Zia Clotilda.

—La mejor ropa, las mejores joyas, todo lo que ella
quiere —dijo Zia Caterina.

—Nunca tiene que hacer nada. Todo lo que hace es
sentarse, mirar por la ventana, y comer *dolci*, dulces
—dijo Zia Clorinda.

—Ahora que Serafina es bastante mayor para casarse,
Tony cree que ningún hombre es suficientemente bueno
para su hija —susurraron entre ellas las tres hermanas.

Eso *sí* que era verdad. Tony creía que ningún
hombre se merecía a su querida hija. Ni siquiera hablaba
con los jóvenes del pueblo que querían cortejar a Serafina.
Así que la pobre Serafina se sentaba en la ventana
detrás de las cortinas, mientras comía sus *dolci* y lloraba.

Un día, Ángelo, un rico caballero de Milán, pasó por el pueblo. Cuando caminaba delante de la casa de Tony, el viento apartó las cortinas de la ventana y allí estaba Serafina. Ángelo y Serafina se miraron a los ojos y surgió el amor a primera vista entre los dos.

Las tres hermanas se encontraban cerca.

—Queridas señoras —les preguntó Ángelo—, ¿quién es esa encantadora criatura sentada en la ventana? *Che bella donna!* ¡Qué joven tan bella! ¿Está casada o comprometida?

—Ay, joven *signore* —dijo Zia Clotilda—. Ésa es
Serafina, la hija de Tony el panadero. No, no está casada.

—Y no parece que lo vaya a estar por mucho tiempo
—dijo Zia Caterina.

—Según Tony, nadie es bastante bueno para la
pequeña Serafina —explicó Zia Clorinda.

—Bueno, ya veremos eso —dijo Ángelo—. Ahora
tías, cuéntenme todo lo que puedan sobre ella.

El joven caballero y las tres hermanas se sentaron y
hablaron, y hablaron y hablaron. Y muy pronto, Ángelo
sabía todo sobre Serafina y Tony el panadero. Sabía todo
sobre el sueño de Tony de convertirse en el panadero
más famoso de todo el norte de Italia.

—*Grazie*, tías, gracias —dijo Ángelo—. Creo que
tengo una idea para que Tony realice su sueño y me
entregue a la esposa de mis sueños. Pero voy a necesitar
la ayuda de ustedes. Lo que quiero que hagan es...

Al día siguiente, llegó a la panadería una carta para Tony:

Estimado *Signore* panadero:

Mi nombre es Ángelo. Soy un caballero de Milán.

Pasaba por su pueblo y tuve la gran suerte de probar ¡su delicioso pan!

Podría usted hacerme el gran favor de encontrarse conmigo delante de la iglesia el domingo, después de misa, para platicar.

Quiero hacerle una propuesta.

Ángelo, de Milán

Y una carta secreta le llegó a Serafina a la casa de Tony.

Querida Bella Serafina: ♡ ♡ ♡

La vi en su ventana y ¡la amo!

Guarde este anillo como un símbolo de mi adoración.

¡No pasará mucho tiempo antes de que seamos MARIDO y MUJER!

♡Ángelo, su amor verdadero.

Y Zia Clotilda, Zia Caterina y Zia Clorinda hicieron su parte.

—Oye, Tony, ¿viste a aquel joven y rico caballero de Milán? —preguntó Zia Clotilda.

—Quería saber todo sobre ti. ¡Parece que le encantó tu pan! —dijo Zia Caterina.

—Dijo que no había nada parecido en todo Milán —le dijo Zia Clorinda a Tony—. No me sorprendería que quisiera conocerte, habló tanto de ti.

—Bueno, queridas señoras, qué casualidad que digan eso, sí que quiere conocerme, el domingo después de misa —dijo Tony—. Su nombre es Ángelo de Milán.

—¡Imagínense! —exclamaron las tres mujeres—. *Che bella fortuna*, qué buena suerte has tenido. ¡Y Serafina también! —susurraron entre ellas.

—Y entonces, Signor Antonio, sería un enorme placer que usted y su encantadora hija vinieran a Milán como invitados míos —dijo Ángelo.

—Y si le gusta nuestra ciudad, sería un honor para mí ponerle su propia panadería cerca de la *Piazza del Duomo*, la plaza de la Catedral. Le aseguro personalmente que usted se hará famoso, Signor Antonio.

Tony no podía creer lo que oía. Su sueño estaba a punto de realizarse. —Muchísimas gracias, Signor Ángelo. Pero, por favor, llámeme Tony. Todos mis amigos lo hacen.

—También, Signor Tony —continuó Ángelo—, su bella hija tendrá grandes ventajas. Tengo que confesar que no me desagradaría la idea de tener a Serafina sentada a mi lado en mi gran mesa como mi esposa, la hija de Tony, el panadero más famoso de Milán.

¡Eso lo convenció! Tony aceptó, y él y Serafina se fueron con Ángelo. Juntos recorrieron todas la callecitas que había alrededor de la plaza de la Catedral y visitaron todas las panaderías y pastelerías.

Probaron *torta*, *biscotti* y *pane*—torta, galletas y pan. Y Tony se entristeció. Nunca había probado panes semejantes: la harina era la más blanca y la más delicada posible; los panecillos tenían forma de molinillos y estaban cubiertos con todo tipo de semillas.

—No hay remedio, Signor Ángelo —dijo Tony con voz muy triste—. Nunca podré competir con estas panaderías y pastelerías tan exquisitas. Lo único que sé hacer es pan, y además es un pan humilde. Todo Milán se reiría de mí. Sería mejor que Serafina y yo nos volviéramos a casa.

—¡No, nunca! —gritó Ángelo.

—Ay, Papá, no —suplicó Serafina. Porque no sólo estaba enamorada de Ángelo, sino que también le gustaba muchísimo la idea de vivir en aquella casa tan grande con tantas cosas ricas de comer.

—Ojalá pudieras hacer pan tan bueno y dulce como estas frutas glaseadas y estas pasas —dijo Serafina.

—O —dijo Ángelo, con otra idea— ¡tan rico y dulce como esta taza de ponche hecha de leche, huevos y miel!

—Leche, huevos, miel —pensó Tony en voz alta.

—Frutas glaseadas —dijo Serafina. —Pasas —añadió Ángelo.

—¡Eso! —gritaron los tres a la vez.

—Haré el pan más sabroso, ligero, y maravilloso que nadie haya probado nunca, hecho con la harina más blanca, con los huevos más grandes, con la leche más cremosa, con las frutas glaseadas más dulces y con las pasas más jugosas —gritó Tony.

—Ay, Papá —exclamó Serafina y besó a su padre.

—Sirvientes —los llamó Ángelo, y los mandó a comprar todos los mejores ingredientes que Tony necesitaba.

A la mañana siguiente, Tony y Serafina se volvieron al pueblo con todas las provisiones.

Tony se puso a trabajar. Día tras día experimentó, hasta que consiguió la masa de pan más ligera y más sabrosa posible, con la mayor cantidad de pasas y frutas glaseadas que pudo poner en ella.

Ya estaba lista para hornear. Avisó a Ángelo en Milán para que se presentara en la panadería al día siguiente por la tarde.

Después dejó la masa en grandes fuentes y se fue a la cama. Mientras Tony dormía, la masa empezó a crecer, y a crecer, y a crecer.

A la mañana siguiente, llenó con la masa todos los moldes que tenía en la panadería. Le sobró un poco de masa que puso en un florero que también horneó.

Cuando llegó Ángelo, acababan de sacar el pan del horno. Todos retuvieron la respiración y esperaron hasta que Tony cortó una rebanada del pan nuevo. Ángelo lo probó. Serafina lo probó. Tony lo probó. Zia Clotilda, Zia Caterina y Zia Clorinda también lo probaron.

—¡Eso es! —gritaron.

—Voy a llevarme estas barras de pan a Milán para ver lo que dicen mis amigos —dijo Ángelo y se marchó.

Pocos días después, llegaron al pueblo una carta y un carro muy grande lleno de ingredientes.

Querido Tony:

Aquí tienes más provisiones.

Haz todo el pan que puedas y mándamelo.

Después, cuando envíe a buscarte, te prometo que vas a entrar en Milán y las banderas ondearán y al fin, Serafina será mía.

Tu futuro yerno,

Ángelo

P.D. Por favor, hornea todas las barras en floreros. Esa es la forma que más les gusta a mis amigos.

Justo antes de Navidad, Ángelo envió a buscar a Tony y a Serafina. Y tal y como había prometido, cuando el carro entró en Milán, todo el mundo los aclamaba y las banderas ondeaban.

—*Benvenuto, Tonio!* ¡Bienvenido, Tony! —gritaban las multitudes—. *Benvenuto!*

El obispo y el alcalde estaban allí para recibir a Tony y a Serafina.

—Y —dijo el alcalde— todo Milán se alegra de que ustedes estén aquí porque así ¡siempre tendremos bastante de ese pan maravilloso que usted hace!

Al día siguiente, cuando abrieron las puertas de la panadería, tuvieron que llamar a los guardias del obispo para mantener el orden. Todo Milán estaba allí, salvo Serafina y Ángelo, que se estaban casando discretamente en una capilla de la Catedral.

Durante toda la boda, pudieron oír a la gente aclamando y pidiendo el *pan di Tonio*, el pan de Tony. Y todavía hoy, especialmente en Navidad, se saborea y se come el *panettone* de Milán.

BRAVO SERAFINA, BRAVO ÁNGELO.
¡BRAVO TONY!

Tomie dePaola

Cuando no está escribiendo o ilustrando sus libros, a Tomie dePaola le gusta pasar el tiempo cocinando y horneando. Su casa tiene dos cocinas completas y un cuarto de hornos diseñado especialmente para hornear pan y cocinar carne. Se sabe que Tomie dePaola hace de vez en cuando una hornada de *panettone*. Hay hasta seis hornos en su casa. A veces llega a preparar la cena para treinta amigos y usa los seis hornos a la vez. *Buon appetito!* ¡Buen provecho!

Tomie dePaola en su cuarto de hornos hace un pan italiano que se llama *pane pugliese* (pa-ne, pu-LLIE-se)

Recién sacado del horno

El mejor pan de la ciudad

Tony necesita anunciar su nueva panadería de Milán. Escribe y representa un anuncio en el que Tony convence a la gente para que pruebe su *panettone*.

Cocina un cuento

El cuento de *El pan de Tony* explica cómo se inventó el *panettone*. Escribe un cuento folklórico en el que se explique cómo se hizo otro tipo de pan por primera vez. Puedes elegir el pan de la pizza, o el pan dulce o cualquier otro tipo de pan que te guste.

Sándwiches del mundo

por Ann Hinga Klein

Levanta la mano si te gustan los sándwiches de crema de cacahuete con mermelada. Muy bien, ahora levanta la mano si te gustan los sándwiches de anguila ahumada.

¡Es broma! Pero, ¿sabías que en Holanda a algunos chicos les gusta mucho los sándwiches de anguila ahumada?

Les hemos preguntado a chicos y padres de diferentes países sobre los tipos de sándwiches que les gusta comer. Mira lo que nos dijeron:

En Etiopía:

Un pan muy popular, que se llama *injera* (in-YE-ra), se parece a una enorme tortilla. Los chicos etiopes rompen el *injera* en trozos y lo usan para recoger y comer carne roja o salsa de verduras.

En Suiza:

A algunos niños de Suiza les gusta poner queso y salami en una barra de pan larga que se llama *baguette* (ba-GUET).

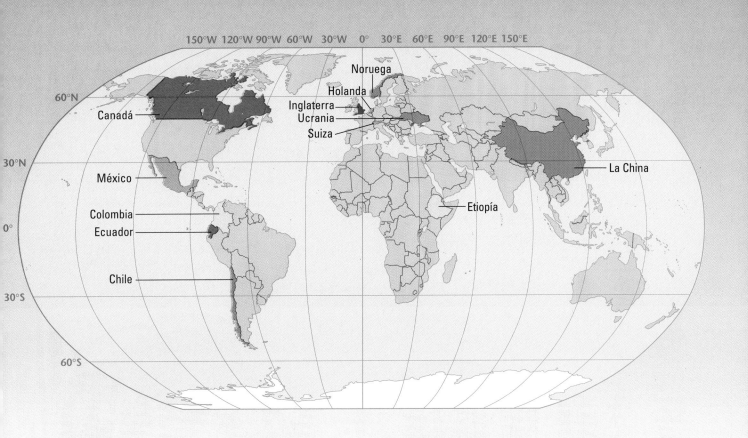

Aguacate

En Ecuador:

Los sándwiches de puerco son muy populares en Ecuador. Dentro del panecillo puedes encontrar una rebanada de puerco asado, un poco de cebolla, una rodaja de tomate, lechuga y pasta de aguacate verde.

En Chile:

Si visitas a un amigo en Chile, te podría dar perros calientes con mayonesa caliente. O quizá tu amigo te ofrezca un sándwich de aguacate con cebolla. ¿No te gusta? Entonces, ¿qué tal una empanada? Las empanadas tienen queso o carne dentro, y corteza de pan alrededor.

Meriendas del mundo

Igual que tú, los chicos del mundo comen meriendas cuando tienen hambre entre las comidas del día.

En Colombia, los chicos meriendan en la escuela papas fritas, naranjas o trozos de piña.

En China, los chicos pican palomitas de maíz, galletas, caramelos o fruta. A veces toman un helado justo antes de ir a la cama, pero nunca después de una comida. Eso es así porque muchos padres creen que comer comida caliente y fría a la vez le puede sentar mal al estómago de sus hijos.

En Ucrania:

Los ucranianos comen *piroshki* (pi-ROSH-qui). Los *piroshki* tienen papas o carne dentro y corteza de pan alrededor. A mucha gente de Ucrania le gusta el *piroshki* caliente y picante.

En Inglaterra:

En Inglaterra, los sándwiches favoritos para la tarde son los de mermelada. También lo son los sándwiches de crema de chocolate. A algunos chicos ingleses les gustan los sándwiches de queso con pepinos. Otros sólo quieren pan con mantequilla.

En México, los chicos pueden comprar raspados de nieve en el mercado. El hielo es un bloque muy grande y una persona raya trocitos de hielo y los pone en una taza. Los chicos pueden escoger entre 10 ó 12 sabores diferentes de sirope. Los chicos en México también comen mangos.

Se sirven en un palito ¡cubiertos de polvos de chiles picantes!

En **Canadá**, a los chicos les gustan las clementinas. Son naranjitas dulces del tamaño de una pelota de golf.

Chiles picantes

En México:

Un taco es un sándwich mexicano. Puedes comprar un taco de puerco y comerlo en el desayuno. El almuerzo es muy abundante; tiene sopa, carne y frijoles, pero no hay sándwiches. La gente cena sándwiches en México. A alguna gente le gusta el pollo asado entre rebanadas de pan gruesas y con rodajas de cebolla, tomate y chiles picantes. En algunas familias, hasta los chicos muy pequeños comen chiles picantes.

En Noruega:

¿Qué tal un sándwich de salmón ahumado y huevos revueltos? Eso es lo que te pueden servir en Noruega.

Acerca de la autora

Sook Nyul Choi creció en Corea del Norte. Cuando era niña, le encantaba leer sobre lugares lejanos, como los Estados Unidos. Años más tarde, Sook Nyul Choi se trasladó a los Estados Unidos y se convirtió en maestra y luego en escritora. Le gusta escribir sobre su tierra de origen y sobre el pueblo coreano.

Acerca de la ilustradora

Karen M. Dugan tuvo mucha ayuda para ilustrar *Halmoni y el picnic.* Para dibujar los ambientes con precisión, ella estudió fotografías de las calles. Hizo que el personaje principal, Yunmi, se pareciera a las propias hijas de la autora. Incluso la autora preparó una comida coreana llamada *kimbap* y le envió fotos a Dugan para que la pudiera dibujar.

Halmoni y el picnic

Sook Nyul Choi

ilustrado por Karen M. Dugan

Yunmi y su abuela Halmoni paseaban de la mano hacia la escuela San Patricio. Los taxis salían como una flecha entre los camiones y recorrían con gran estrépito la concurrida calle Catorce. Yunmi apretó con fuerza la mano de Halmoni y sonrió. Halmoni asintió con la cabeza para señalar que la había entendido, pero mantuvo sus ojos hacia la calle sin sonreír. Igual que el día anterior, Halmoni parecía triste según se acercaban a la escuela. No le gustaba tener que volver sola a su apartamento vacío.

La señorita Stein, de uniforme blanco, volvía de su trabajo de noche en el Hospital Beth Israel.

—Buenos días, señorita Stein —la llamó Yunmi.

—Ah, hola, Yunmi —dijo la señorita Stein, entre una sonrisa y un bostezo.

—Yunmi —dijo Halmoni en coreano—, no se les llama a los mayores. Tienes que bajar la mirada por respeto. Es de mala educación que los niños molesten a los mayores.

—Pero Halmoni —dijo Yunmi entre risitas—, a la gente le gusta cuando los saludo. En América no es de mala educación llamar a los mayores por su nombre. Aquí es de mala educación no decir hola y no mirar a la gente a los ojos cuando hablas con ellos.

—Nunca me acostumbraré a la vida de aquí —suspiró Halmoni.

A Yunmi le daba tristeza que su abuela encontrara la vida de América tan diferente a la de Corea.

—Halmoni —dijo—, a mis amigos les gustan las bolsas de frutas que les regalas cada mañana.

—Me alegro. Siempre está bien compartir las cosas con los amigos —dijo Halmoni.

—Por favor, ¿puedes saludar a mis amigos en inglés esta mañana? Se sorprenderán mucho de que les hables. Sé que puedes. ¿Lo harás por mí, Halmoni?

—No, sólo llevo aquí dos meses —respondió Halmoni—. Las palabras en inglés son todavía muy difíciles para mi lengua tan vieja. Haré el ridículo. Les voy a regalar estas frutas; ésa es mi manera de saludarlos. Además, tú hablas bastante por las dos.

—¡Yunmi, Yunmi, espérame! —oyeron que Anna Marie les gritaba a sus espaldas.

—¡Hola, Anna Marie! ¡Hola, Yunmi! —dijo Helen, que venía corriendo desde otra calle.

Las dos saludaron a Halmoni. Halmoni asintió con la cabeza y les dio una bolsa de papel a cada niña.

—¡Ay, gracias! —dijo Helen.

—¡Qué bien! —dijo Anna Marie—, ¡una manzana, uvas y cerezas también!

Las niñas se despidieron de Halmoni y se encaminaron hacia el patio de la escuela.

—Yunmi, tu abuela es tan simpática, pero nunca dice nada —dijo Helen—. ¿Por qué no le enseñas algo de inglés?

Yunmi negó tristemente con la cabeza. —A mi abuela le da vergüenza hablar con acento. Podría hablar inglés si quisiera. Es muy lista. Ella era maestra en Corea.

Helen se quedó pensando. —A lo mejor tu abuela no es feliz aquí. Cuando yo no soy feliz no quiero aprender nada nuevo. Quizá ella sea como yo.

—Es verdad. Yo también soy así —asintió Anna Marie.

Yunmi suspiró igual que Halmoni y dijo: —Creo que se siente sola cuando estoy en la escuela. Mis padres están tan ocupados trabajando que no tienen tiempo para ella. Sé que echa de menos a sus viejos amigos, pero no quiero que se vuelva a Corea.

—¡Necesita hacer nuevos amigos! —exclamó Anna Marie—. Nosotras podemos ser sus amigas. La vemos todos los días y nos gusta mucho.

—Tenemos que hacer algo para demostrarle que queremos ser sus nuevas amigas —dijo Helen con determinación—. ¿Qué podemos hacer?

Entraron en el patio de la escuela y se sentaron debajo del gran roble y pensaron en silencio. Aquella mañana no jugaron a las escondidas o a la cuerda. Cuando sonó la campana, se fueron a su salón y sacaron en silencio las cosas de sus mochilas.

—Niños, debo anunciarles algo esta mañana —dijo la señora Nolan—. El próximo martes es el día de nuestro picnic anual en el Parque Central. Necesitamos a un ayudante, así que por favor, pregúntenles a sus padres si uno de ellos puede venir a ayudarnos.

Helen y Anna Marie levantaron la mano tan alto que casi se cayeron de la silla. Sorprendida, la señora Nolan dijo: —Sí, Helen, tú primero. ¿Qué quieres?

Helen se ruborizó y preguntó: —¿Podría ser nuestra ayudante la abuela de Yunmi?

—Por supuesto que sí —dijo la señora Nolan—. Pero Yunmi tiene que preguntarle primero a su abuela. ¿Lo harás, Yunmi?

Helen y Anna Marie sonrieron y asintieron con la cabeza, y miraron a Yunmi con emoción. Pero, de repente, Yunmi se sintió confundida y preocupada. ¿Qué pasaría si Halmoni no quisiera ir? ¿Y si los niños se rieran de sus zapatos de goma puntiagudos o de su largo vestido coreano?

Esa tarde, Yunmi le contó con mucho tacto a Halmoni lo que había pasado en la escuela.

—¿Dijo eso Helen? —dijo Halmoni ruborizándose de alegría—. ¿Tu maestra quiere que vaya?

Se sintió tan aliviada de ver a Halmoni contenta que Yunmi asintió moviendo la cabeza de arriba a abajo.

—¿Y tú quieres que yo vaya al picnic contigo? —preguntó Halmoni tocando el cachete de Yunmi.

—Sí, sí, Halmoni, será muy divertido. Conocerás a todos mis amigos, a la señora Nolan y pasaremos todo el día juntas en el Parque Central.

—Entonces sí, iré —dijo Halmoni.

Halmoni no podía ir al picnic con las manos vacías. Preparó una enorme cesta de frutas para los estudiantes de tercer grado. También se empeñó en hacer platos grandes de *kimbap* y una jarra grande de té de cebada. El *kimbap* se hace de arroz, zanahorias, huevos y verduras, todo envuelto en algas marinas. De nuevo Yunmi se preocupó. La mayoría de los niños iban a llevar sándwiches de salami o de crema de cacahuete y lo iban a acompañar con sodas. ¿Qué pasaría si ninguno quisiera comer el *kimbap* de Halmoni? ¿Y si pusieran caras?

—Halmoni, por favor, no lleves *kimbap* al picnic. Se tarda tanto en hacerlo. Guárdalo para que nosotras lo comamos otro día.

—Ay, no fue problema. Se ve muy bonito y es perfecto para los picnics. Me pregunto si he hecho bastante.

El día del picnic, por la mañana, Yunmi y su abuela tomaron el autobús en la escuela. Halmoni llevaba una falda de color azul claro y una camisa, que en coreano se llaman *ch'ima* y *chogori*, con calcetines blancos y zapatos blancos de goma puntiagudos.

Cuando llegaron al Parque Central, Halmoni se sentó debajo de un gran castaño y vigiló a los niños mientras jugaban. Los niños se quitaron sus chaquetas y las dejaron delante de Halmoni. Con una sonrisa, ella las recogió, les limpió el pasto y la tierra, y las dobló con mucho cuidado. Le gustaba notar la tierra fresca debajo de ella y escuchar las risas sonoras de los niños.

A la hora del almuerzo, Halmoni puso los platos grandes de *kimbap* encima de un largo mantel de seda azul y blanco. —¡Ay, qué bonito está! Niños, vengan y vean esto. La abuela de Yunmi ha hecho mi comida preferida —exclamó la señora Nolan. Halmoni le dio a la señora Nolan dos palillos y le sirvió un poco de salsa de soja en un platito. Mientras los niños mordisqueaban sus sándwiches, se juntaron alrededor de la señora Nolan y la vieron ponerse trocitos de *kimbap* en la boca.

Halmoni agarró un *kimbap* con sus palillos y se lo ofreció a Helen. —*Mogobwa* —dijo, que significa "pruébalo". Helen entendió y abrió la boca. Todos observaban con interés su cara según iba masticando aquella extraña comida. El cuidado con el que Helen masticaba pronto se convirtió en alegría. —¡Mmm, qué bueno!

Entonces Halmoni agarró otro y se lo ofreció a Anna Marie. —*Nodo* —dijo, que quiere decir "tú también". Anna Marie masticó despacio y pronto a ella también se le llenó la cara de alegría. Helen y Anna Marie querían repetir, y en seguida todos estaban comiendo el *kimbap*.

Halmoni sonrió enseñando todos sus dientes. Se le había olvidado que en Corea no es buena costumbre que una mujer sonría en público sin taparse la boca con la mano.

Después del almuerzo, algunos niños le pidieron a Halmoni que sujetara el extremo de su cuerda de saltar. Otros le pidieron a Halmoni que volviera a hacer *kimbap* para el picnic del año siguiente. Cuando Yunmi se lo tradujo, Halmoni asintió y dijo: —*Kurae, kurae* —que significa "sí, sí".

Los niños empezaron a cantar mientras saltaban a la cuerda:

Uno, dos, punta y zapato.

Tres, cuatro, *kimbap* es mi plato.

Cinco, seis, palillos usé.

Siete, ocho, *kimbap* almorcé.

Kurae, kurae, el picnic gocé.

Halmoni sonreía hasta que las lágrimas nublaron su vista. Su larga *ch'ima* azul bailaba con el viento mientras giraba la cuerda de saltar. Marcaba el ritmo de la canción con sus zapatos.

—¿Cómo debe llamar la clase a tu abuela? ¿Señora Lee? —le preguntó la señora Nolan a Yunmi.

—Yo la llamo simplemente Halmoni, que significa abuela —dijo Yunmi—. En Corea es mala costumbre llamar a los mayores por su nombre.

La señora Nolan asintió y sonrió: —Niños, ¿por qué no le damos las gracias a Halmoni por su delicioso *kimbap*?

—¡Gracias por el *kimbap*, Halmoni! —gritaron los niños a coro. Su cara arrugada se puso roja y Halmoni bajó la mirada hacia sus zapatos puntiagudos. Sacó un pañuelo de la manga larga de su *chogori* y se secó los ojos.

Halmoni estaba muy pensativa mientras el gran autobús recorría las calles de la ciudad de Nueva York. Cuando el camión llegó a la escuela, los niños se bajaron corriendo y gritando "adiós". Halmoni dijo adiós en inglés también.

Llena de orgullo, Yunmi agarró la mano de Halmoni y se la apretó con fuerza. Halmoni también apretó la mano de Yunmi, que sonrió al pensar en la sonrisa tan grande de Halmoni cuando los niños cantaban sobre ella en el Parque Central. Saltando por la calle Catorce, Yunmi canturreaba la canción del *kimbap*.

Le pareció que Halmoni también la canturreaba en voz baja.

¡Pruébenlo!

Planea un picnic

Vamos a juntarnos

En un grupo pequeño, planea un picnic para tu clase, parecido al que tuvo la clase de Yunmi. ¿Dónde tomaría lugar? ¿Qué tipo de juegos habría? ¿Hay algún invitado especial o comida que te gustaría llevar?

Haz una tarjeta

¡Gracias, Halmoni!

Haz una tarjeta que Helen o cualquier otro estudiante de la clase de Yunmi pueda enviar a Halmoni. Escribe una nota dándole las gracias por ir al picnic y por llevar *kimbap*.

¡Gracias, Halmoni!

La Reina Batata

por María Elena Walsh

Estaba la Reina Batata
sentada en un plato de plata.
El cocinero la miró
y la Reina se abatató.

La Reina temblaba de miedo,
el cocinero con el dedo
—que no que sí, que sí que no—
de mal humor la amenazó.

La Reina vio por el rabillo
que estaba afilando el cuchillo.
Y tanto, tanto se asustó
que rodó al suelo y se escondió.

Entonces llegó de la plaza
la nena menor de la casa.
Cuando buscaba su yoyo
en un rincón la descubrió.

La nena en un trono de lata
la puso a la Reina Batata.
Coleta verde le brotó
(a la Reina Batata, a la nena no).

Y esta canción se terminó.

La olla

El otro día, a la olla,
(así mi abuela lo cuenta)
le di papas, ajo, cebolla
y una pizca de pimienta.

Le di zapallo y le di choclo,
incluso carne le di,
y como si fuera poco,
le di arroz y perejil.

Siguiendo con mi receta
les puse sal, aceite y comino,
porotos verdes y arvejas
y sobre todo cariño.

(Y como dice mi abuela)
La olla que es generosa,
ni corta ni perezosa
me regaló una cazuela.

por Saúl Schkolnik

Carlos and the Squash Plant

Carlos y la planta de calabaza

Story by
Cuento por
Jan Romero Stevens

Illustrated by
Ilustrado por
Jeanne Arnold

Carlos vivía en el valle fértil de Española, que queda abrigado en las montañas del norte de Nuevo México.

Sus padres eran granjeros y usaban una parcela de tierra grande como jardín. Su casa, que quedaba junto al jardín, estaba hecha de adobe con paredes muy gruesas. En el jardín ellos cultivaban sandías redondas y verdes; maíz dulce; tomates jugosos y rojos; y chile verde pequeño, tan picoso que a Carlos le quemaba el paladar. Pero la verdura favorita de Carlos era la calabaza porque su madre la usaba para hacer un guisado de calabacitas, un platillo picante que combinaba los sabores del maíz, la calabacita, el queso y el chile verde.

Carlos se pasaba los días con su papá y su hermano ayudándoles en el jardín. Juntos, ellos sembraban las semillas, arrancaban las hierbas malas que crecían entre las hileras largas y parejas de verduras, y recogían las verduras cuando estaban listas para cosechar.

Carlos lived in the fertile Española Valley nestled in the mountains of northern New Mexico.

His mother and father were farmers and tended a large garden plot next to their thick-walled adobe home. They grew large, green watermelons; sweet corn; juicy red tomatoes; and small green chiles so hot they burned the roof of Carlos's mouth. But his favorite vegetable was squash, because his mother used it for making calabacitas (call-ah-bah-SEE-tahs)—a spicy dish that combines the flavors of corn, squash, cheese, and green chiles.

Carlos spent most of his days helping in the garden right alongside his brother and father. Together they planted the seeds, weeded between the long even rows, and gathered the vegetables when they were ripe.

Carlos trabajaba tanto que siempre estaba cubierto de tierra. Tenía tierra debajo de las uñas, entre los dedos de los pies y en los oídos. Pero él odiaba bañarse y odiaba, más que todo, lavarse las orejas.

Su madre le advertía constantemente, —¡Si no te limpias las orejas te va a brotar una calabacita!

Pero, claro, Carlos no le creía.

Un día, Carlos había estado en el jardín todo el día y estaba muy sucio. Cuando entró a la casa, su mamá le dijo que tenía que bañarse antes de cenar.

—¡Ay, Mamá! ¿Por qué tengo que bañarme? —se lamentó Carlos. Pero su madre sólo le señaló la puerta del baño.

Carlos worked so hard that the rich brown earth ended up everywhere—under his fingernails, between his toes, and inside his ears. But he hated taking baths, and he especially hated washing his ears.

His mother would warn him, "Si no te limpias las orejas, te va a brotar una calabacita!" ("If you don't wash your ears, a squash plant will grow in them!")

But of course, Carlos didn't believe her.

One day, he had been in the garden all day and was especially dirty. When he came in the house, his mother told him he had to have a bath before dinner.

"Oh, Mamá, do I have to?" asked Carlos. But his mother just pointed toward the bathroom door.

Carlos entró al baño, cerró la puerta, y en vez de bañarse, solamente se limpió la cara con una toallita. Luego se puso el pijama, fue a la cocina, y se sentó a la mesa con su hermano, su mamá y su papá.

—¿Te bañaste? —le preguntó su mamá, mirándolo con una ceja arqueada.

—Sí, Mamá —le contestó.

Su papá nada más movió la cabeza de un lado a otro.

Después de la cena, Carlos se fue a acostar.

Cuando los rayos del sol entraron por la ventana de su cuarto, Carlos se despertó. Tenía una sensación rara en el oído, y cuando empezó a rascárselo, sintió algo extraño.

Carlos corrió al espejo. Una raíz, verdosa, con dos hojitas en forma de peras le estaban creciendo del oído derecho. Justamente, cuando estaba pensando en lo que iba a hacer, su madre lo llamó a desayunar. El olor del chorizo con huevos que su mamá estaba friendo le llegó a donde estaba.

Carlos went into the bathroom and shut the door, but instead of taking a bath, he just wiped off his face with a washcloth. Then he put on his pajamas, went to the kitchen, and sat down at the dinner table with his brother, mother, and father.

"Did you take a bath?" his mother asked, looking at Carlos with a raised eyebrow.

"Sí, Mamá, I did," he said.

Papá only shook his head.

After dinner, Carlos went to bed early.

When the bright summer sun shone in his bedroom window in the morning, he woke up quickly. He had an itchy sort of feeling in his ear, and when he started to scratch it, he felt something strange.

Carlos ran to the mirror. A tiny, light green stem with two pear-shaped leaves was growing in his right ear. Just as he was wondering what to do, his mother called him for breakfast. He could smell the aroma of chorizo (spicy hot sausage) *and eggs frying.*

—Un minuto, Mamá —le respondió Carlos, y corrió a su ropero, donde encontró un sombrero de ala ancha. Se lo puso, jalándoselo hacia abajo para que le cubriera las orejas, y caminó a la cocina.

—Buenos días, hijo —le dijo su madre—. Siéntate a desayunar. Pero, ¿por qué tienes puesto ese sombrero?

—Hace tanto sol, y no quiero que el sol me dé en los ojos —respondió Carlos. Se desayunó tan rápidamente, que antes de que su mamá pudiera darle otro vistazo, ya se había ido.

Carlos trabajó afuera toda la mañana, y comió sentado en la rama de un álamo enorme, mientras el agua de un riachuelo corría debajo de él.

Al anochecer, entró en la casa, y cuando su madre lo vio, le dijo que se bañara antes de cenar.

—¡Oh, Mamá! ¿Tengo que bañarme? —le preguntó. Pero su madre sólo le señaló la puerta del baño.

"Just a minute, Mamá," said Carlos, and he ran to his closet, where he found a wide-brimmed hat. He pulled it down over both ears and walked into the kitchen.

"Good morning, son," said his mother. "Sit down and have your breakfast. But why are you wearing that hat?"

"It's such a sunny day today, and I don't want the sun to get in my eyes," answered Carlos, and he ate his breakfast so fast he was outside before his mother could get a second look.

Carlos worked outside all morning and ate his lunch sitting on a branch of a huge cottonwood tree, while a thin stream of water ran beneath him.

At nightfall he came inside, and when his mother saw him, she told him to take a bath before dinner.

"Oh, Mamá, do I have to?" he asked. But Mamá just pointed toward the bathroom door.

Carlos entró al cuarto de baño, pero una vez más, en lugar de bañarse, simplemente se limpió la cara con una toallita mojada. Enseguida se fue a sentar a la mesa.

—Carlos, ¿te bañaste? —le preguntó su madre, mientras servía la cena.

—Por supuesto, Mamá —le dijo Carlos. Cenó rápidamente y entonces subió a su cuarto para acostarse. Estaba tan cansado que se durmió inmediatamente.

La siguiente mañana, cuando sintió el calorcito del sol en la cara, el oído derecho le empezó a dar más comezón que antes. Saltó de la cama y se vio en el espejo. La planta verde, que ayer había sido sólo un brote pequeño, había crecido unas cuatro pulgadas. Tres hojas más acompañaban a las primeras dos.

Carlos went into the bathroom, but again, instead of taking a bath, he only wiped his face off with a wet washcloth. Then he sat down at the table.

"Carlos, did you take your bath?" asked his mother, as she served dinner.

"Sí, Mamá, I did," said Carlos, and he quickly ate his dinner and then went upstairs to bed. He was so tired that he fell asleep immediately.

The next morning when the sun felt warm on his face, his right ear was itching more than ever. He jumped out of bed and looked in the mirror. The green plant that had been merely a tiny shoot the day before had grown to about four inches in length. Three more leaves had joined the first two.

—¡Ay, caramba! —pensó Carlos, pero entonces oyó a su mamá que lo estaba llamando, y olió los pasteles frescos de harina de maíz cocinándose en el horno.

Carlos corrió, cruzando el pasillo, al cuarto de su hermano y encontró un sombrero grande en la repisa más alta del ropero. Se lo puso, jalándoselo hacia abajo para cubrirse las orejas, y entró a la cocina. —Buenos días, hijo. Siéntate a desayunar —le dijo su mamá—. Pero, ¿por qué llevas puesto ese sombrero tan grande?

—Hace tanto calor, y no quiero que el sol me dé en los ojos —dijo Carlos. Desayunó un poco y se apresuró a salir.

Esa tarde, Carlos entró a la casa más sucio que nunca, y otra vez más su madre le dijo que se bañara antes de cenar. Pero Carlos sólo se limpió la cara, y regresó a la cocina con el enorme sombrero todavía sobre la cabeza.

"Ay, caramba!" *thought Carlos, but just then he heard his mother calling him and he smelled the aroma of fresh, warm cornmeal cakes cooking on the stove.*

Carlos ran across the hall to his brother's room and found a big hat on the highest closet shelf. He pulled it down over both ears and walked into the kitchen.

"Good morning, son. Sit down for breakfast," his mother said. "But why are you wearing that big hat?"

"Oh, the sun is so hot, I don't want it to get in my eyes," Carlos said. And he ate only a few bites of his breakfast and hurried outside.

That evening Carlos came in from the garden dirtier than ever, and once again, his mother told him to take a bath before dinner. But Carlos only wiped off his face and returned to the kitchen, the big hat still on his head.

—Carlos, ¿te bañaste? —le preguntó su madre.

—Sí, Mamá —respondió Carlos, bajándose más el enorme sombrero, para cubrirse las orejas. Después de la cena se fue derechito a la cama.

Carlos se despertó un poco tarde la siguiente mañana y sintió que la cabeza le pesaba más de un lado. No necesitó verse en el espejo para saber lo que había pasado. Una parra larga y verde, con flores amarillas, colgaba al lado de su almohada hasta el piso. Carlos trató de quitársela del oído. Trató de cortarla. Trató de pisotearla, pero nada lo libraba de la planta de calabacita, que ahora medía varios pies.

—¡Ay, caramba! —pensó, y en ese momento oyó a su mamá que lo llamaba a desayunar. Corrió a la recámara de sus padres donde encontró un sombrero, aún más grande, en el ropero de su papá.

"Carlos, did you take your bath?" asked his mother.

"Sí, Mamá," answered Carlos, pulling the large hat farther down over his ears. After dinner, he went straight to bed.

Carlos woke up late the next morning, and his head felt heavy on one side. He didn't need to look in the mirror to know what had happened. A long green vine with yellow blossoms hung down the side of his pillow and trailed onto the floor. Carlos tried pulling it out. He tried breaking it off. He tried stomping on it with his foot, but nothing would rid him of the squash plant, which was now several feet long.

"Ay, caramba!" he thought to himself, and just then he heard his mother calling him for breakfast. He ran into his parents' bedroom, where he found an even larger hat in his father's closet.

Enroscándose la parra de calabacita sobre la cabeza, se cubrió las orejas con el sombrero, y entró a la cocina.

—Buenos días, hijo. Ten estas tortillas calientitas con miel —le dijo su madre—. Pero, ¿por qué llevas puesto el sombrero de tu padre?

—Hace mucho calor afuera y el sol está muy brillante. No quiero que se me meta el sol en los ojos —le dijo Carlos.

—Pero, el sol no está brillando hoy. Hace mucho viento y está nublado —le dijo su mamá.

Carlos no respondió, pero enrolló una tortilla y se la llevó afuera a comer.

Coiling the squash vine on top of his head, he pulled the hat down over both ears, then walked into the kitchen.

"Good morning, son. Have some warm tortillas and honey," said his mother. "But why are you wearing Papá's hat?"

"It's very sunny and bright outside. I want to keep the sun out of my eyes," Carlos said.

"But the sun isn't shining today. It is windy and cloudy," said his mother.

Carlos didn't answer, but rolled up a tortilla and took it outside with him to eat.

En verdad hacía frío y el viento soplaba. Las hierbas chamiza voladora rodaban por el camino y Carlos tuvo que detenerse el sombrero con una mano, mientras deshierbaba con la otra. Precisamente cuando empezó a oscurecer, Carlos dejó caer la mano que detenía el sombrero por sólo un instante, y un ventarrón se llevó el sombrero a rodar por el camino.

Al mismo tiempo, Carlos oyó a su mamá que le decía que se metiera a la casa. Carlos se cubrió las orejas con las manos, y antes de que su madre pudiera decirle que se bañara, él ya había llenado la tina con agua.

Desesperadamente, Carlos empezó a restregarse la oreja izquierda. A la misma vez, sintió que le picaba y le daba comezón la otra oreja, y milagrosamente, la planta de calabacita empezó a encoger. Entre más se restragaba la oreja, más pequeña se volvía la planta, hasta que por fin, la parra había desaparecido por completo.

Sure enough, the weather was breezy and cool. Tumbleweeds blew down the road, and Carlos had to hold onto his hat with one hand while he weeded the garden with the other. Just as it was getting dark, Carlos let go of the hat for just a moment, and a gust of wind carried it down the road.

At the same time, Carlos heard his mother calling him inside. Carlos covered his head with his arms, and before Mamá could even ask him to take a bath, he had filled up the tub with water.

Desperately he began scrubbing his left ear. At the same time, he felt a tingly, itchy sensation in the other ear, and amazingly, the squash plant began to shrink. The more he scrubbed, the smaller it became, until finally, the vine had completely disappeared.

Carlos se secó, se puso el pijama, y fue a la cocina, donde se sentó a cenar.

—Mamá, ya terminé de bañarme, y hasta me acordé de lavarme las orejas —dijo Carlos.

—¡Qué niño tan bueno!, y por ser tan bueno te hice tu platillo favorito: calabacitas —le dijo su mamá, y al ponerle enfrente el plato vaporoso de calabacitas calientes, le guiñó al papá, y él fingió no darse cuenta.

Carlos dried himself off, put on his pajamas, and walked out to the kitchen, where he sat down for dinner.

"Mamá, I have finished my bath, and I even remembered to wash my ears," said Carlos.

"You are a good boy, and for you, I have cooked your favorite dish: calabacitas," *his mother said, and as she put the steaming plate down in front of him, she winked at Papá, who pretended not to notice.*

Calabacitas

La manera de preperar el picoso guisado de calabacitas varía de cocina a cocina, pero casi siempre lleva los siguientes ingredientes: calabacitas, elote, queso, cebolla y chile verde.

2 chucharaditas de aceite o margarina
1 cebolla picada
1/2 taza de chile verde en rajas o picado
4 calabacitas medianas rebanadas

1 taza de elote desgranado
1 taza de jitomate picado
1 1/2 taza de queso Monterey Jack o cheddar rayado
Sal al gusto

Se ponen a cocer las calabacitas en poca agua o baño maría. Mientras se hierve el elote y se aparta. Por separado se fríe la cebolla en aceite caliente. Una vez cocidos el elote y las calabacitas, se mezclan con todos los demás ingredientes, menos el queso, en la sartén con la cebolla y se vierte la mezcla en una cazuela. Se mete al horno caliente a una temperatura de 350 grados durante 20 minutos, entonces se agrega el queso y se regresa al horno hasta que se derrita, más o menos otros 10 minutos.

Acerca de la autora
Jan Romero Stevens

Jan Romero Stevens está muy interesada en la cultura del Suroeste. Ha vivido toda su vida tanto en Nuevo México como en Arizona, y estudia español con sus dos niños para que aprendan más sobre su herencia hispana. Romero se sintió motivada a escribir *Carlos y la planta de calabaza* por sus dos niños, a quienes les encanta escuchar buenos cuentos.

Acerca de la ilustradora
Jeanne Arnold

Jeanne Arnold se divierte cuando camina, esquía, arregla el jardín o cuando va a acampar. Su casa en Salt Lake City, Utah, es un magnífico lugar para que ella haga todas estas cosas porque está entre las montañas y el desierto del Suroeste. Para *Carlos y la planta de calabaza* se inspiró en el pintor mexicano Diego Rivera, artistas folklóricos latinoamericanos y pintores Taos.

¡Que crezcan tus ideas!

Comparte un cuento
Ya te dije…

La mamá de Carlos le dijo que se lavara bien las orejas. ¡Mira lo que le pasó cuando no le hizo caso! Cuenta acerca de cuando aprendiste la importancia de hacerles caso a tus papás.

Escribe una receta
La sal, por favor.

La comida favorita de Carlos es calabacitas. ¿Cuál es tu receta familiar favorita? Escribe y dibuja los pasos que sigues para tu receta. O mejor… crea tu propia receta.

Datos sobre LA COMIDA RÁPIDA

Estás viendo la televisión y de pronto ves un anuncio. Un restaurante popular de comida rápida te tienta con una de sus especialidades. La cámara enfoca una hamburguesa grande y jugosa: dos filetes de carne cubiertos con tocino y chorreando queso fundido.

Se te hace agua la boca. De repente tienes hambre. ¿Quién se puede resistir?

La gente compra la comida rápida por muchas razones. Son sabrosas, son rápidas, cómodas y no cuestan demasiado dinero. Es muy fácil agarrar un panecito con salchichas camino a la escuela o una hamburguesa con queso cuando no tienes bastante tiempo para una comida normal.

Pero hay algunas cosas importantes que deberías saber sobre la comida rápida y su papel en tu dieta diaria.

Escoge o pierde

El gobierno federal ofrece esta sencilla información para ayudarte a escoger la comida que te nutre y te mantiene saludable. Esta información se llama la Pirámide de la comida.

En la base de la pirámide está el grupo del pan, los cereales, el arroz y la pasta. Estas comidas son básicas para tener una buena alimentación, y se recomienda tomar entre seis y once raciones de ellas al día.

Después está el importante grupo de las frutas y las verduras. Debemos comer entre dos y cuatro raciones de frutas, y entre tres y cinco raciones de verduras cada día.

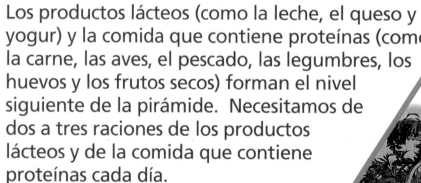

Los productos lácteos (como la leche, el queso y el yogur) y la comida que contiene proteínas (como la carne, las aves, el pescado, las legumbres, los huevos y los frutos secos) forman el nivel siguiente de la pirámide. Necesitamos de dos a tres raciones de los productos lácteos y de la comida que contiene proteínas cada día.

Arriba de la pirámide están las grasas, los aceites y los dulces. Aunque nos gusta su sabor, estas comidas tienen muchas calorías y grasa, pero poco valor nutritivo. Eso significa que debemos comerlas en cantidades pequeñas.

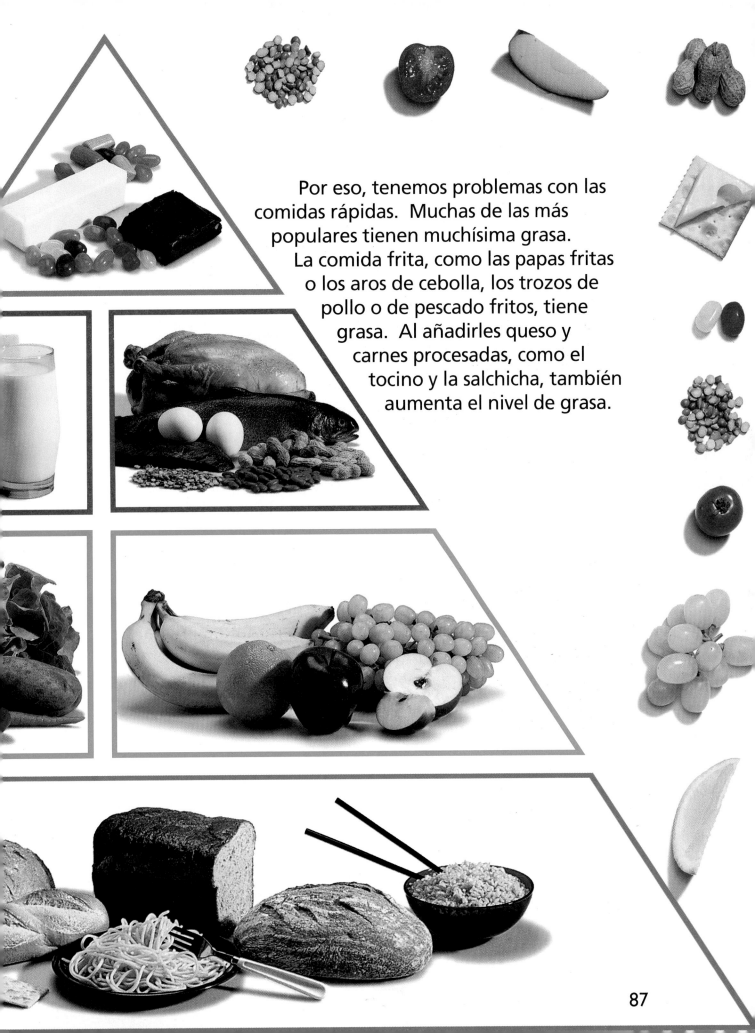

Por eso, tenemos problemas con las comidas rápidas. Muchas de las más populares tienen muchísima grasa. La comida frita, como las papas fritas o los aros de cebolla, los trozos de pollo o de pescado fritos, tiene grasa. Al añadirles queso y carnes procesadas, como el tocino y la salchicha, también aumenta el nivel de grasa.

Lo malo de la grasa

El problema con la grasa de las comidas rápidas es que suele ser grasa saturada, es decir, la clase de grasa que aumenta el nivel de colesterol en tu sangre. Muchos estudios han mostrado que eso puede taponar las arterias e impedir el flujo normal de la sangre. Además, muchas comidas rápidas tienen una cantidad importante de sodio (la sal) y de azúcar.

Pongamos un ejemplo: digamos que has ordenado una hamburguesa de un cuarto de libra con queso, una orden grande de papas fritas, un batido de chocolate y una tarta de manzana. Esta comida contiene 1,560 calorías, 17 cucharaditas de grasa y 1,640 miligramos de sodio. Nadie necesita tanto, y mucho menos en una sola comida. Esa comida rápida contiene más de la mitad de las calorías que una persona necesita en todo un día.

Entonces, ¿significa esto que tenemos que dejar de comer toda la comida rápida si queremos estar sanos y en forma?

Por supuesto que no. No hace falta eliminar la diversión, la comodidad y los sabores de la comida rápida, siempre y cuando aprendas a hacer buenas elecciones. Y hoy día muchos restaurantes de comida rápida ofrecen comidas más saludables.

Buenas noticias sobre la comida rápida

Tú puedes escoger comida rápida saludable. Aquí hay algunas sugerencias:

- Procura no comer con frecuencia las comidas fritas. Elige los sándwiches hechos a la parrilla o asados, en lugar de los que están empanados y fritos.

- No comas las salsas. Mucha grasa y calorías se esconden en la mayonesa, en la salsa tártara y en las salsas de ensalada.

- Ten cuidado con las cosas que se echan encima. Una buena elección en la comida rápida son las papas asadas. Pero no te pases con el queso, la mantequilla y la crema de queso amarga.

- Evita las carnes procesadas. Escoge hamburguesas sencillas; prueba la pizza hecha con verduras como los champiñones, los pimientos verdes y la cebolla.

- Dirígete hacia el bar de ensaladas. Sírvete mucha lechuga, espinacas, tomates, zanahorias, brócoli y champiñones. Deja al lado los crutones y los trocitos de tocino.

- En lugar de ordenar un batido normal o una soda con mucha azúcar, ordena la leche desnatada o un jugo de fruta.

- Termina la comida con algo buenísimo: un yogur helado.

Acostúmbrate a comer saludablemente. ¡Es una costumbre que nunca querrás perder!

Las naranjas

Un informe investigativo por Cristina Vela

¿Sabías que algunas naranjas son rojas por dentro? Cristina aprendió este hecho cuando investigó la información para su reporte.

Las naranjas

La naranja es un cítrico muy popular que se come alrededor del mundo. Hay tres tipos de naranjas: 1) naranjas dulces, 2) naranjas agrias o amargas y 3) mandarinas. La naranja dulce es la más popular de todas.

Las naranjas vienen en diferentes formas y colores, que van de redondas a ovaladas y de rosadas a anaranjadas o rojas. El naranjo tiene hojas de color verde oscuro y bellas y fragantes flores.

La naranja se cultiva mejor donde los veranos son calurosos y los inviernos fríos, pero no demasiado fríos. Una helada puede matarlas o dañar el árbol y la fruta. Brasil cultiva más naranjas que cualquier otro país. La mayoría de las naranjas en los Estados Unidos se cultivan en Florida, California, Arizona, y Texas. España, México, China e Italia también cultivan naranjas.

El cultivo de la naranja puede presentar problemas tales como el temporal frío y los insectos dañinos. Cuando llega el tiempo frío, los campesinos rocían agua en los arboles para evitar que se congelen. En California se usan máquinas de viento para proporcionar aire

Una naranja

Un naranjo

cáscara

semillas

caliente a los huertos. Los insecticidas evitan que los átidos y otros insectos se coman las naranjas y las hojas.

Cuando la fruta está madura, se recoge a mano; luego, se transporta a la planta empacadora donde se lava y se seca. Las naranjas que tienen demasiadas marcas en sus cáscaras son enviadas a otra planta para hacerlas jugo. Las mejores naranjas se enceran y se secan de nuevo. Luego pasan por máquinas que las estampan y las separan por tamaños. Finalmente, se ponen en cajas.

Toma mucho trabajo producir las naranjas que a la gente les gusta comer.

Bibliografía

Echeverría, Eugenia. Las frutas. Colección Piñata: Patria, 1992.
"Naranja". Diccionario Enciclopédico Espasa. Madrid:
Espasa Calpe, 1995.

Cristina Vela
Escuela Primaria E. A. Jones
Missouri City, Texas

Cristina escribió este informe para su clase de estudios sociales de tercer grado. También le gusta escribir cuentos. Cristina disfruta de la lectura, las matemáticas y los estudios sociales. Para divertirse, juega con su hermano pequeño y ve televisión. Cristina quiere llegar a ser maestra.

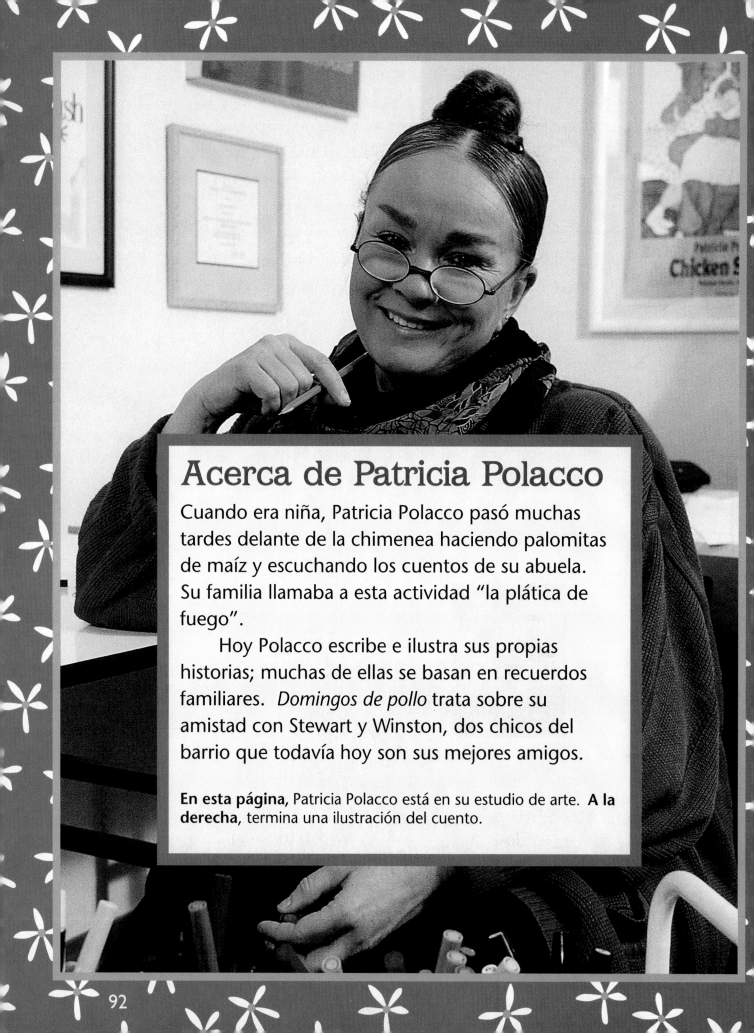

Acerca de Patricia Polacco

Cuando era niña, Patricia Polacco pasó muchas tardes delante de la chimenea haciendo palomitas de maíz y escuchando los cuentos de su abuela. Su familia llamaba a esta actividad "la plática de fuego".

Hoy Polacco escribe e ilustra sus propias historias; muchas de ellas se basan en recuerdos familiares. *Domingos de pollo* trata sobre su amistad con Stewart y Winston, dos chicos del barrio que todavía hoy son sus mejores amigos.

En esta página, Patricia Polacco está en su estudio de arte. **A la derecha,** termina una ilustración del cuento.

Domingos de pollo

por Patricia Polacco

Stewart y Winston eran mis vecinos. Se habían convertido en mis hermanos en una ceremonia solemne que habíamos realizado un verano en su jardín. No tenían la misma religión que yo. Eran bautistas. Su abuelita, Eula Mae Walker, era ahora mi abuelita. Hacía dos veranos que mi *babushka* había muerto.

A veces mi madre me dejaba ir los domingos a la iglesia con ellos. ¡Cuánto nos gustaba oír cantar a la señora Eula! Su voz se parecía a un trueno lento y a la lluvia dulce.

Solíamos ir y volver de la iglesia caminando. Ella nos daba la mano cuando cruzábamos College Avenue.
—Aunque hemos estado rezando en la iglesia como la gente decente debe hacer —solía decir ella—, no quiero que saltes delante de uno de esos carros tan rápidos. Acabarás tan aplastada como la lengua de una gallina.

Y me apretaba la mano.

Cuando pasábamos por delante de la sombrerería del señor Kodinski, la señora Eula siempre se paraba y miraba los maravillosos sombreros que había en la vidriera. Suspiraba profundamente y seguíamos andando.

A esos domingos los llamábamos "domingos de pollo", porque la señora Eula casi siempre freía un pollo para cenar. Había acelgas con tocino, una cazuela grande de frijoles, mazorcas de maíz y pan frito.

Un domingo en la mesa mirábamos el vaivén de su abanico que movía el aire húmedo que olía a pollo frito. Respiró profundamente. Y mientras sonreía, su piel brillaba. Entonces nos dijo pensativamente algo que ya sabíamos: —Aquel sombrero de Pascua que hay en la vidriera del señor Kodinski es el más bonito que jamás he visto.

Los tres nos miramos. Lo que más queríamos regalarle en este mundo era ese sombrero.

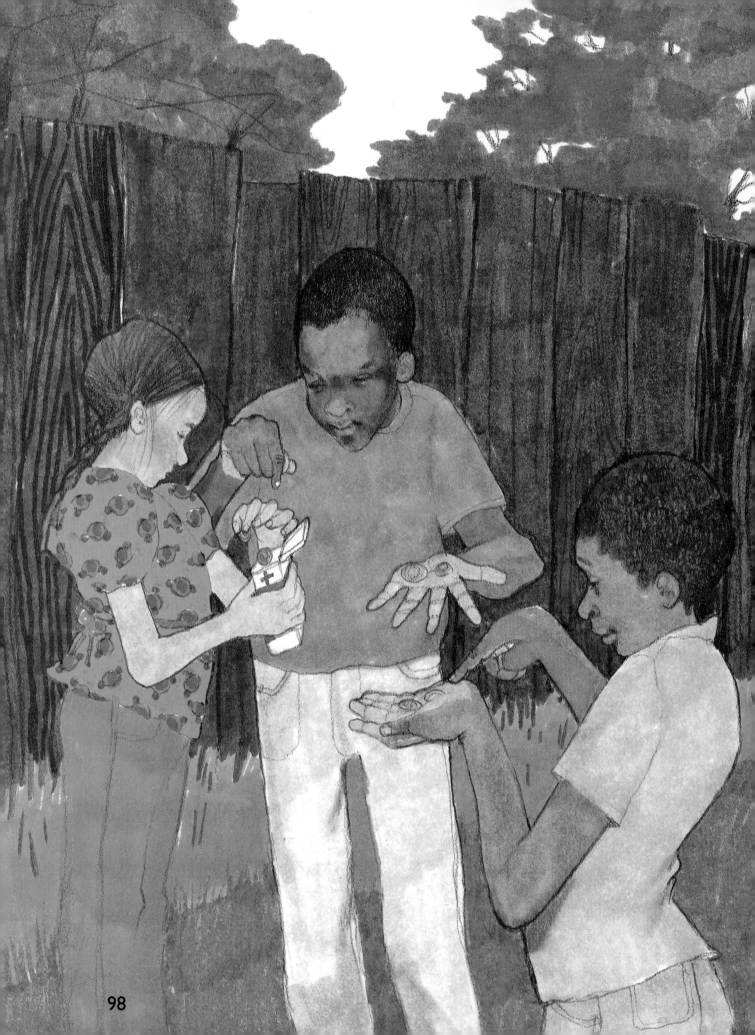

Stewart metió la mano en el agujero del tronco de nuestro "árbol de los deseos" que había en el patio de atrás. Sacó una lata oxidada de curitas. Los tres retuvimos la respiración mientras contábamos el dinero que habíamos estado ahorrando durante semanas dentro de la lata.

—Si queremos regalarle ese sombrero a la señora Eula para Pascua, vamos a necesitar mucho más que esto —anuncié.

—Quizás deberíamos preguntarle al señor Kodinski si podemos barrer su tienda o hacer algo para ganar el dinero que nos falta —dijo Stewart.

—No sé. Es un hombre muy extraño. Nunca sonríe a nadie. ¡Parece un hombre muy malo! —dijo Winnie con temor. Los tres estuvimos de acuerdo en que merecía la pena intentarlo.

Al día siguiente nos fuimos por el atajo del callejón que había detrás de la sombrerería. Allí había unos chicos mayores. Estaban gritando. Algunos huevos nos pasaron volando por encima y se estrellaron en la puerta de atrás del señor Kodinski.

Justo cuando los chicos huían, la puerta se abrió de par en par. ¡El señor Kodinski se nos quedó mirando furiosamente! —¡Oigan, ustedes! —gritó—. ¿Por qué hacen estas cosas, chicos?

—No fuimos nosotros —trató de decir Stewart, pero el señor Kodinski no nos escuchaba.

—Sólo quiero vivir en paz. Voy a llamar a su abuela —gritó mientras sacudía el dedo delante de la cara de Stewart.

La señora Eula nos estaba esperando en la sala.

—Señora Eula, nosotros no tiramos esos huevos —dije sollozando.

—Unos chicos mayores lo hicieron —tartamudeó Stewart.

—¿Pero qué estaban haciendo en la parte de atrás de la tienda? —preguntó. Sabíamos que no le podíamos decir la verdad, así que nos quedamos parados y lloramos.

Se quedó mirándonos durante un buen rato. —Corazones, quiero creerles. Dios sabe que los he educado para decir siempre la verdad. Si ustedes dicen que no lo hicieron, yo les creo.

—Pero es una lástima —continuó diciendo—, ese pobre hombre ha sufrido tanto en su vida, no se merece que le tiren huevos. Saben, él piensa que ustedes tiraron los huevos. Ustedes tienen que demostrarle que son buenos chicos. De alguna manera tienen que cambiar su opinión.

102

Al día siguiente, en mi cocina, estuvimos pensando y pensando.

—¿Cómo podemos ganar su favor si piensa que hemos tirado los huevos? —preguntó Stewart.

—Ni siquiera le caemos bien —agregó Winston.

—Huevos —dije en voz baja.

—¿Huevos? —preguntó Stewart.

—¡Huevos! —grité.

Fui al cajón de la cocina y saqué un pedazo de cera de abejas, una vela, un embudo pequeño con asa de madera y unos paquetes de tinta amarilla, roja y negra.

Mi mamá me ayudó a enseñarles a los chicos a decorar los huevos de la manera que nos había enseñado mi *babushka*. Así es cómo lo hacían en su país. Hicimos dibujos encima de la cáscara de los huevos con cera caliente; luego, los sumergimos en tinta y al final, derretimos la cera; así sólo quedaba el dibujo.

Pusimos los huevos en una cesta y, aunque estábamos asustados, entramos en la tienda del señor Kodinski y los dejamos encima del mostrador.

Él alzó las cejas y nos miró furiosamente. Luego bajó la mirada hacia la cesta.

—*Spasiba* —dijo suavemente. Eso quiere decir "gracias" en ruso—. ¡Huevos *Pysanky!* No los he visto desde que me marché de mi patria —dijo mientras los miraba de cerca.

—Nosotros no tiramos esos huevos a su puerta, señor Kodinski —le dijimos.

Se quedó mirándonos durante un minuto. —Bueno, entonces, ustedes son muy valientes por haber venido aquí. ¡*Chutzpah, ustedes tienen chutzpah!* —entonces sus ojos brillaron y su boca se abrió en una cálida sonrisa—. Vengan a tomar un poco de té conmigo.

Pasamos juntos toda la tarde, hablando y comiendo panecillos dulces y té espeso. Nos contó su vida. Le contamos las nuestras.

Cuando por fin nos atrevimos a preguntarle si nos podía dar algún trabajillo para ganar un poco de dinero, se disculpó y nos dijo que no necesitaba a nadie. No le dijimos para qué queríamos el dinero. No nos parecía correcto hacerlo. Se nos encogieron los corazones.

—Déjenme que les diga —añadió pensativo—, estos huevos son tan bonitos como mis sombreros.

Stewart, Winnie y yo nos miramos.

—Estamos casi en Pascua —continuó diciendo—. Estoy seguro de que a la gente le encantarían estos huevos. ¡Preparen una mesa y véndanlos aquí en mi tienda!

Durante los siguientes días trabajamos mucho. Hicimos casi una docena de huevos *"pysanky"*. Cuando la gente entraba en la tienda, los levantaba y decía cosas como: "¡Preciosos!", "¡Espléndidos!", "¡Detalladísimos!", "¡Maravillosos!" Los vendimos todos en un solo día.

Esa misma tarde, cuando ya no quedaba ningún huevo, contamos el dinero. Teníamos más que suficiente para el sombrero.

Se venden huevos ucranianos auténticos

Justo cuando le íbamos a decir al señor Kodinski
que queríamos comprar el sombrero, salió del cuarto
de atrás con una caja preciosa de sombreros... ¡envuelta
en papel de regalo! —Guarden su dinero, niños —dijo
dulcemente—. He visto a la señora Eula admirándolo.
¿Es para ella, verdad? Díganle que sé que son muy
buenos chicos, ¡pero que muy buenos chicos!

Cuando llegó el domingo de Pascua, creímos que nuestros corazones iban a explotar mientras mirábamos cómo la señora Eula abría la caja. Nos abrazaba muy fuerte mientras grandes lágrimas le caían por las mejillas.

Nuestros corazones cantaron con el coro aquel domingo. Estaba tan guapa con aquel sombrero. Cuando llegó el momento de su solo, sabíamos que nos cantaba a nosotros.

Su voz se parecía a un trueno lento y a la lluvia dulce.

Más tarde, aquel día, sentada en la cabecera de la mesa, la señora Eula dijo: —Ay, corazones, ahora puedo morir feliz. Y después de mi muerte, en los domingos de pollo, quiero que ustedes hiervan un poco de pollo, los huesos, la salsa y todo, y que lo echen encima de mi tumba. Así, por la noche cuando tenga hambre, podré alcanzarlo y comerme un poco.

En ese momento echó la cabeza para atrás y se rió desde un lugar muy profundo y sagrado dentro de ella.

Winston, Stewart y yo ya somos mayores.
Nuestro antiguo barrio ha cambiado, pero todavía lo
reconocemos. La carretera retumba por encima del
lugar donde estuvo la tienda del señor Kodinski. A
menudo pienso en él y en sus magníficos sombreros.

Perdimos a la señora Eula hace ya mucho tiempo,
pero cada año llevamos algo de sopa de pollo al
cementerio Montevista y hacemos lo que ella nos
había pedido.

A veces, cuando estamos muy callados, podemos
oír una voz cantando dentro de nosotros. Una voz que
suena como un trueno lento y como la lluvia dulce.

¡Preciosos!
¡Espléndidos!
¡Maravillosos!

Haz un cartel

¡Se venden huevos!

Haz un cartel para la tienda del señor Kodinski en el que se anuncien los huevos *pysanky*. Incluye un dibujo de los huevos y usa palabras descriptivas como las que se encuentran en el cuento.

Comparte un recuerdo

Enséñame cómo

La abuela de Patricia Polacco le enseñó a hacer los huevos *pysanky*. Cuenta algo que un amigo o un familiar te haya enseñado a hacer.

Se venden
preciosos huevos pysanky
hechos a mano
un regalo perfecto

121

Divertidos datos digestivos

Los norteamericanos típicos beben 40 galones de sodas al año. Esa cantidad llenaría tu bañera. Con los 10 galones que todavía sobrarían, podrías llenar la pila de la cocina.

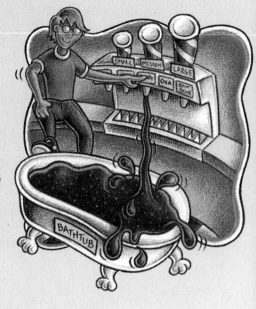

Un norteamericano típico come casi 2,000 libras de comida al año. Eso es el peso de un carro pequeño de dos puertas.

Cada año, se produce en los Estados Unidos bastante helado como para llenar el Gran Cañón. El norteamericano típico come 15 galones de helado al año. Esa cantidad llenaría una lavadora.

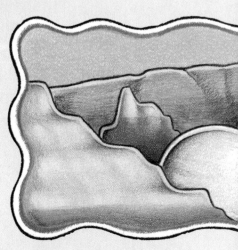

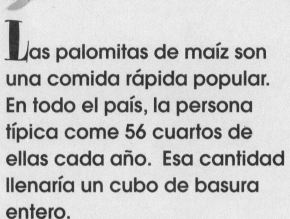

Las palomitas de maíz son una comida rápida popular. En todo el país, la persona típica come 56 cuartos de ellas cada año. Esa cantidad llenaría un cubo de basura entero.

Los norteamericanos comen 19 billones de perros calientes cada año. Si los ataras uno detrás de otro, ¡darían la vuelta al mundo 60 veces!

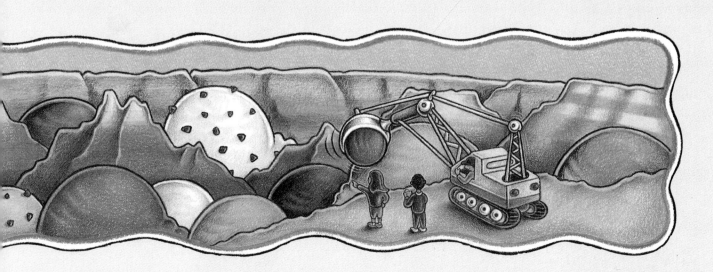

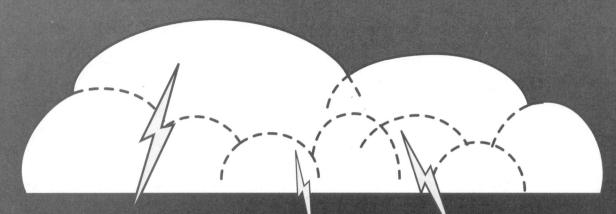

¿Qué tiempo hace?

¿Qué tiempo hace?

Índice

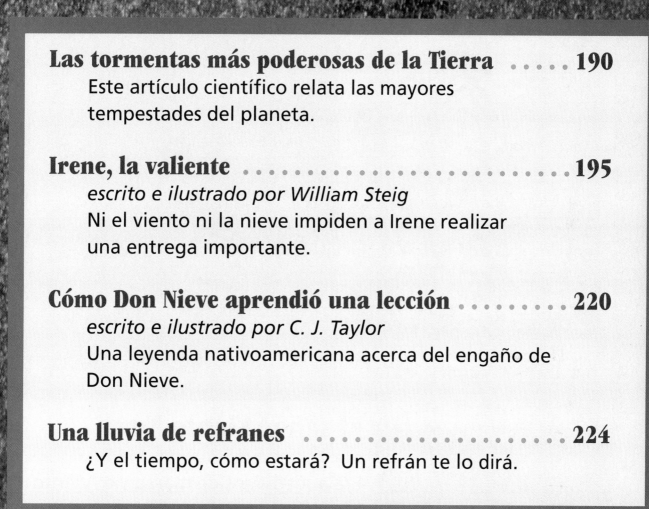

Lee por tu cuenta

El señor Viento Norte

Carmen de Posadas Mañé/Alfonso Ruano

LIBRO DE BOLSILLO **EXTRA**

El señor Viento Norte
por Carmen de Posadas Mañe
Era a mediados de marzo y el Viento Norte no quiso dejar de soplar. ¿Podrá un joven valiente convencerlo para que traiga la primavera?

En el mismo libro...
Datos y fotografías acerca de las maravillas del viento.

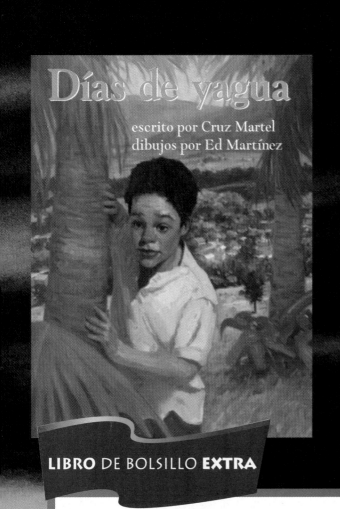

escrito por Cruz Martel
dibujos por Ed Martínez

Días de yagua

LIBRO DE BOLSILLO **EXTRA**

Días de yagua
por Cruz Martel

¿Qué haces los días de lluvia?
Si vives en Puerto Rico, los días de
lluvia pueden ser maravillosos si
son días de yagua.

En el mismo libro...
Más sobre la lluvia, además de
experimentos y datos interesantes.

Libros para días de lluvia

Don Gil y el paraguas mágico
por Mercé Company
El trovador es recompensado por
su generosidad con un paraguas
mágico. Junto con un gigante
trae lluvia a un pueblo que lo
necesita.

La sequía
por Jesús Zatón
Era un verano seco y largo, y los
vientos calurosos no cesaban.
Solamente unas cuantas plantas
podían crecer y todos los animales
tenían hambre…

Huracanes y tornados
por Norman S. Barrett
Aprende acerca de qué causa un
clima tormentoso.

El hombre de la lluvia
por María Puncel
El torrero se monta en una nube y
descubre lo importante que es la
lluvia.

Acerca del autor

Franklyn M. Branley

Franklyn Branley fue maestro de cuarto grado durante muchos años y ha escrito más de 100 libros sobre temas científicos, desde los cometas hasta los terremotos. También fue astrónomo en un museo de historia.

Acerca del ilustrador

George Guzzi

El espacio y la aviación son dos de los intereses principales de George Guzzi. Es miembro del Programa de Arte de la NASA, y ha tenido la gran suerte de ver cuatro lanzamientos del transbordador en Cabo Cañaveral, Florida.

Alerta al tornado

por Franklyn M. Branley

Los tornados son tormentas poderosas.

El día de un tornado, el aire está caliente y quieto. Las nubes se forman rápidamente. Se espesan y se oscurecen. En la distancia hay truenos y relámpagos, lluvia y granizo.

Aquí y allá, partes de las nubes parecen tocar la tierra. Si esas partes crecen y toman la forma de un embudo, ten cuidado. Los embudos pueden convertirse en tornados.

El embudo de un tornado suele ser de un color gris oscuro o negro. También puede tener tonos amarillentos o rojos.

Los colores provienen de la tierra roja y amarilla que el tornado recoge según pasa por la tierra.

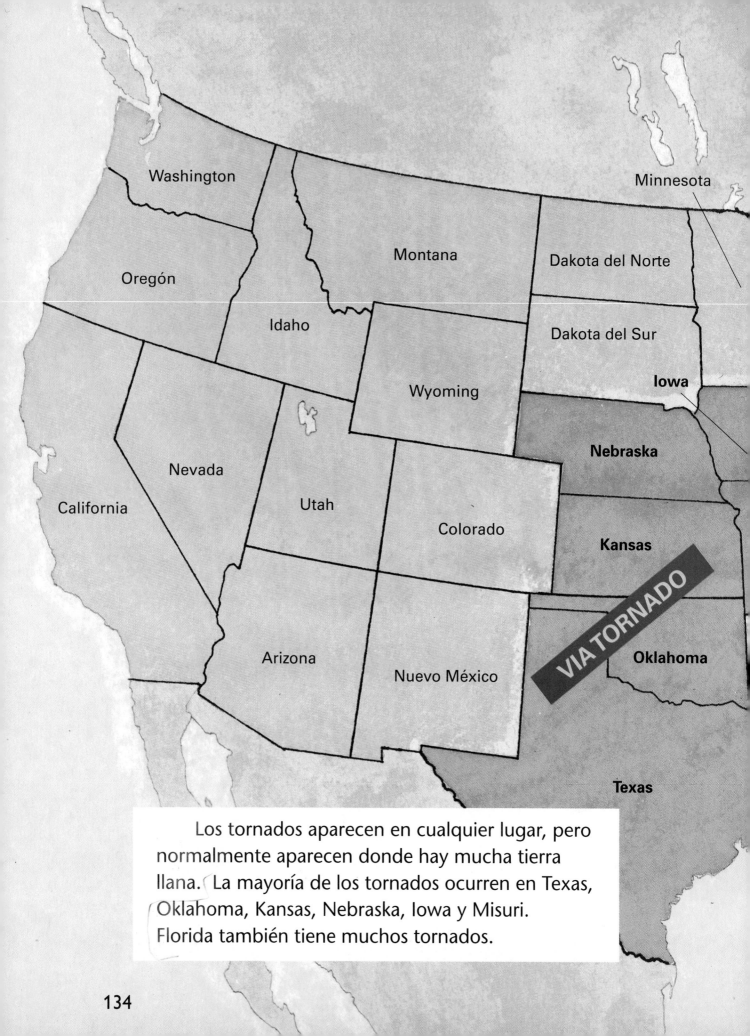

Washington

Oregón

Montana

Dakota del Norte

Minnesota

Idaho

Dakota del Sur

Iowa

Wyoming

Nebraska

Nevada

Utah

Colorado

Kansas

California

VIA TORNADO

Arizona

Nuevo México

Oklahoma

Texas

Los tornados aparecen en cualquier lugar, pero normalmente aparecen donde hay mucha tierra llana. La mayoría de los tornados ocurren en Texas, Oklahoma, Kansas, Nebraska, Iowa y Misuri. Florida también tiene muchos tornados.

Wisconsin

Michigan

Nueva York

Vermont

Maine

New Hampshire

Massachusetts

Rhode Island

Connecticut

Pensilvania

Nueva Jersey

Maryland

Delaware

Illinois

Indiana

Ohio

Virginia Occ.

Virginia

Kentucky

Misuri

Tennessee

Arkansas

Carolina del Norte

Carolina del Sur

Alabama

Georgia

Misisipí

Florida

Luisiana

Los tornados pueden tocar la superficie de los mares y de los lagos. Cuando esto sucede, se les llaman trombas marinas.

La mayoría de los tornados tienen lugar en los meses de abril, mayo y junio. Ésa es la época en que el aire frío se une con el aire cálido cerca de la superficie de la Tierra. El aire frío se desliza por debajo del aire cálido. El aire cálido pesa menos que el aire frío y sube de prisa.

Cuando el aire cálido se eleva, gira dando vueltas ciclónicas. Por eso a veces se les llaman ciclones. La velocidad del viento alrededor del embudo puede llegar a 300 millas por hora. Ningún otro viento sobre la Tierra alcanza semejante velocidad.

Mientras el aire caliente sube, también se expande. Crea un embudo de aire, cuya parte pequeña estrecha toca la tierra y la parte ancha se pierde en las nubes oscuras. Todo el aire que hay alrededor del tornado se va hacia el embudo. A la vez, los vientos de la tormenta empujan el embudo, que no deja de girar sobre la Tierra.

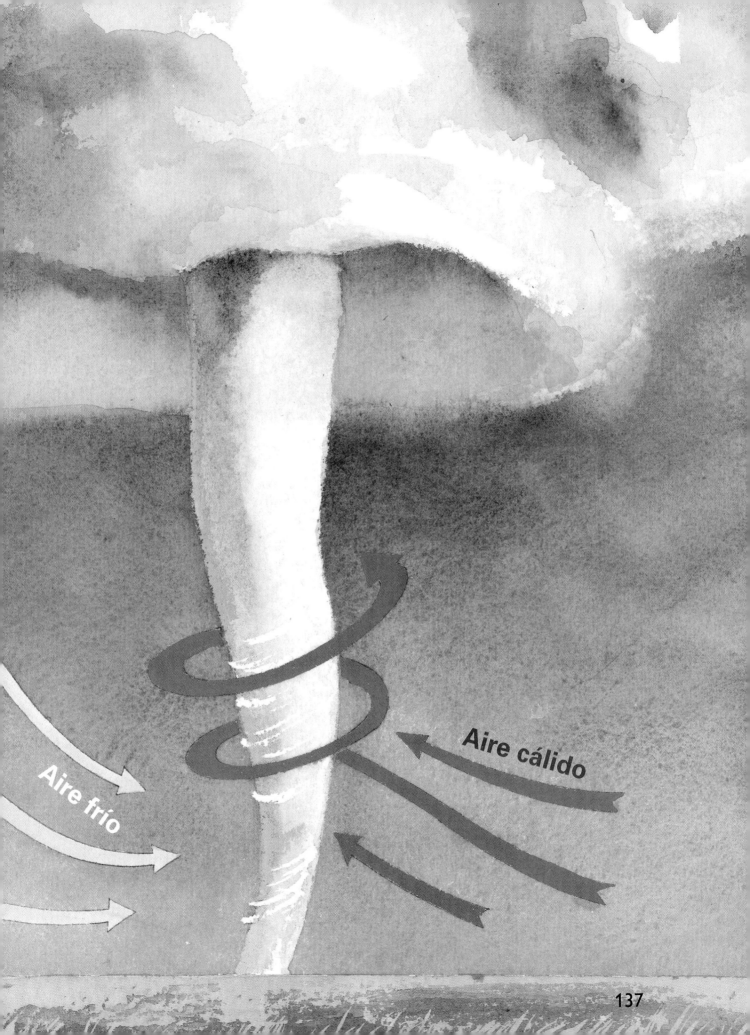

Aire frío

Aire cálido

En los Estados Unidos, durante la temporada de los tornados, puede haber 40 ó 50 tornados en una semana. A veces hay muchos más. La mayoría son pequeños. Normalmente un tornado se agota en menos de una hora. Algunos duran tan sólo unos segundos.

Los tornados pequeños no recorren mucha tierra y causan pocos daños. Los tornados grandes destrozan todo lo que se encuentran en su camino. Pueden recorrer 200 millas y durar varias horas.

Durante un tornado hay truenos y relámpagos, lluvia y granizo. Y hay mucho ruido. Puede sonar tan fuerte como un tren de carga o el motor de un avión. La palabra *tornado* proviene del latín, y significa trueno. Parte del ruido viene de los truenos, pero la gran parte viene de los vientos fragorosos. Hay mucho ruido y muchísimos vientos.

Los tornados son muy poderosos y algunos causan muchos daños. Los tornados pueden levantar ramas, tablas, piedras, ladrillos, carros y, a veces seres humanos.

Los científicos mantienen una vigilancia de cerca durante la temporada de los tornados. Usan satélites que observan cómo se desarrollan las tormentas. Y también usan el radar para detectar los tornados.

Los observadores de tornados son las personas que vigilan los tornados. Se ponen en contacto con las estaciones de radio y de televisión para que avisen a la gente de los tornados mientras todavía están lejos. Los avisos aconsejan a la gente que busque un lugar seguro durante el tornado.

Si un tornado se acerca, esto es lo que debes hacer. Ve al refugio contra tornados más cercano. Los refugios contra tornados son cuartos que están debajo de la tierra y tienen puertas muy resistentes. Son muy seguros.

Si vives en una casa móvil, sal de ella. Un tornado puede destrozar este tipo de casas, incluso aunque esté sujeta al suelo con cables de acero muy resistentes. Túmbate boca abajo en una zanja y cúbrete la cabeza con las manos. Cuando estás en una zanja, las piedras y las ramas que hay en el aire no te pueden dar.

Si estás en una casa, vete al sótano y agáchate debajo de las escaleras o debajo de un banco resistente. O vete a un armario que esté lejos de las paredes exteriores. Ten cuidado de quedarte lejos de las ventanas. El viento las puede quebrar y lanzar restos de cristales por el aire.

Si estás en la escuela, sigue las instrucciones. Tu maestro te llevará al sótano o a un pasillo interior. Arrodíllate cerca de una pared interior. Dóblate y cruza las manos detrás de la cabeza. Lo más importante es que te alejes de las ventanas de cristales.

146

Si estás en el campo dentro de un carro, no trates de echarle carreras al tornado. Bájate del carro y busca una zanja donde meterte.

Cuando hay un tornado, también hay truenos y rayos. Por eso tienes que evitar las cosas de metal y las que usan electricidad. Los rayos pueden desplazarse a través de las tuberías metálicas, y también por los cables eléctricos y telefónicos.

Escucha una radio con pilas. La radio te dirá cuándo ha terminado la tormenta. Quédate donde estás a salvo hasta que estés seguro de que el tornado ha pasado.

Los tornados son espantosos. Incluso si no estás en el centro del embudo, la lluvia es muy fuerte por todas partes, el cielo está oscuro, hay truenos, rayos y mucho viento. Muchas veces cae granizo que puede ser tan grande como una pelota de golf o mayor.

No te asustes. Aprende lo que tienes que hacer cuando hay un tornado. Y aprende a dónde ir.

No se pueden parar los tornados. Pero puedes ponerte a salvo si sabes qué hacer.

REGLAS A SEGUIR

NO TE ASUSTES
ESCUCHA
MIRA
SIGUE LAS INSTRUCCIONES

Mira lo que viene

Escribe un poema

Gira las palabras

Escribe un poema con la forma de un tornado. Usa palabras del texto que estén relacionadas con las tormentas. A lo mejor te gustaría recoger todos los poemas de la clase y hacer un libro.

Haz un reportaje de radio

Boletín especial

Haz un reportaje de radio como si un tornado se estuviera acercando a tu zona. Antes de empezar, haz una lista de las reglas de seguridad que la gente necesita seguir.

El viento

El viento
solo,
sin amigos en el mundo,
sin diversión apenas.

El viento,
que de nación en nación recorre el mundo,
sin ganar amigos.

El viento,
que de todos los sitios viene,
y muchos nombres le dan.

El viento,
que a veces se enfada con los hombres
y les lanza el huracán.

por Ramiro Díez Campo

150

El viento y el tiempo

por Brenda Walpole

Los cambios de temperatura y de presión producen grandes masas de aire que se mueven. Este movimiento del aire se llama viento. La dirección del viento y la velocidad a la que se mueve afectan al tiempo.

La información sobre el viento se recoge en las estaciones meteorológicas, en los barcos y en satélites espaciales. Esos datos se usan para predecir el tiempo.

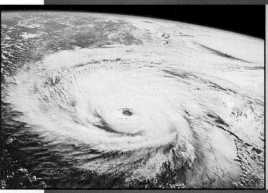

Una vista impresionante de un tifón, tomada desde un satélite espacial. Los tifones son huracanes violentos que hay en los mares de la China. El nombre "tifón" puede venir de las palabras chinas *tai fung* (que significan "viento que azota") o del monstruo griego Tifoes, que era el padre de los vientos de las tormentas.

¿Con qué rapidez se mueve el viento?

En 1806, un almirante inglés llamado Sir Francis Beaufort preparó una escala de 0 a 12 para indicar la fuerza del viento. Su escala se basaba en el efecto que tenía el viento en objetos como los árboles y las casas. La velocidad del viento se añadió después. Hoy día, se usa la escala si no hay instrumentos disponibles para medir la velocidad del viento.

Los vientos más fuertes en la escala se llaman huracanes, tifones o ciclones. Se mueven a más de 95 millas por hora (150 kilómetros por hora).

Potencia: 0
Fuerza: Tranquilo
Velocidad: Menos de 2 millas y media por hora
Efecto: El humo sube.

Potencia: 1–3
Fuerza: Brisa ligera
Velocidad: De 2 millas y media a 15 por hora
Efecto: Las ramas pequeñas se mueven.

Potencia: 4–5
Fuerza: Viento moderado
Velocidad: De 15 a 29 millas por hora
Efecto: Los árboles pequeños se mueven un poco.

Potencia: 6–7
Fuerza: Viento fuerte
Velocidad: De 30 a 45 millas por hora
Efecto: Los árboles grandes se mueven un poco.

Potencia: 8–9
Fuerza: Vendaval
Velocidad: De 45 a 70 millas por hora
Efecto: Las tejas vuelan.

Potencia: 10–11
Fuerza: Tormenta
Velocidad: De 70 a 95 millas por hora
Efecto: Daños por todas partes.

Potencia: 12
Fuerza: Huracán
Velocidad: Más de 95 millas por hora
Efecto: Desastre.

Construye una veleta

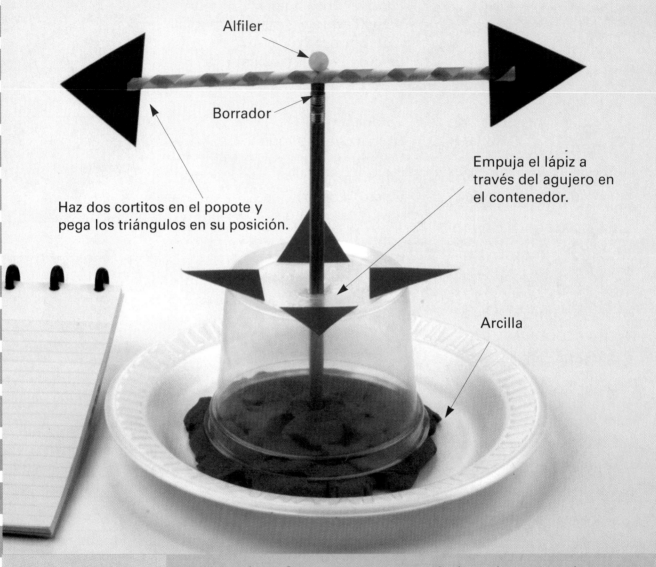

Alfiler

Borrador

Empuja el lápiz a través del agujero en el contenedor.

Haz dos cortitos en el popote y pega los triángulos en su posición.

Arcilla

Materiales

Arcilla, contenedor, lápiz con borrador, alfiler, popote, tarjeta, pegamento

Usa la información que te da la veleta para hacer una tabla que muestre en qué dirección sopla el viento cada día. Las predicciones del tiempo siempre dicen la dirección en la que sopla el viento. Por ejemplo, el viento del oeste sopla desde el oeste hacia el este. ¿Afecta el tiempo de tu zona la dirección en la que sopla el viento?

1. Haz un agujero en medio de la base del contenedor y empuja el lápiz a través del agujero.

2. Fija el contenedor a la tarjeta gruesa con arcilla.

3. Corta dos triángulos pequeños de la tarjeta fina y fíjalos a cada uno de los extremos del popote.

4. Pasa el alfiler por en medio del popote hasta que se meta dentro del borrador.

5. Pon la veleta, afuera encima de una superficie plana. Usa un compás para marcar el norte, el sur, el este y el oeste en el contenedor. (Si no tienes un compás, fíjate en el sol. El sol sale por el este y se pone por el oeste.)

Acerca de la autora
Mary Stolz

Aunque su pasatiempo favorito es escribir libros para niños, a Mary Stolz también le gusta leer, observar los pájaros, mirar los gatos, jugar *Scrabble* y animar a su equipo favorito de béisbol, los Bravos de Atlanta. Uno de sus primeros trabajos fue vender libros en un almacén.

Acerca de la ilustradora
Pat Cummings

Pat Cummings, cuando está ilustrando libros, pierde la noción del tiempo. A veces trabaja toda la noche. Después, como un regalo por haber acabado una página, se va a ver una película. Como generalmente un libro de niños tiene 32 páginas, ¡Cummings ve un montón de películas! Aquí está ella en la foto, con su gato Cash, el modelo de Ringo en *Una tormenta nocturna*.

una tormenta nocturna

por Mary Stolz
dibujos por Pat Cummings

Una tormenta nocturna.

Truenos como montañas que explotan. Rayos que acarician el cielo azul marino. Lluvia torrencial que se desliza por las ventanas, y murmura en los canalones.

¿Y Abuelo? ¿...y Tomás? ¿...y el gato, Ringo? Estaban en la oscuridad. Con la excepción de los brillantes ojos mandarines de Ringo y las llamas de color zanahoria en la estufa de madera, todos estaban en bastante oscuridad.

—No podemos leer —dijo Abuelo.

—No podemos ver la tele —dijo Tomás.

—Es demasiado temprano para irse a la cama —dijo Abuelo.

—¿Qué vamos a hacer? —dijo Tomás suspirando.

—No hay más remedio —dijo Abuelo —, voy a tener que contarte un cuento de cuando yo era niño.

Tomás sonrió entre las sombras. No podía creer que Abuelo hubiera sido alguna vez un niño, pero Tomás lo creyó. Porque Abuelo lo dijo, Tomás creyó que hacía mucho, mucho tiempo, probablemente al principio del mundo, su abuelo había sido un niño. Igual que Tomás ahora era un niño y siempre lo sería. Un abuelo podría ser un niño si pudiera recordar sus memorias; pero un niño no podría ser un abuelo.

Ringo no podría crecer hasta convertirse en un canguro, y un niño no podría crecer hasta convertirse en un viejo. Y así es, se dijo Tomás a sí mismo.

Abuelo era grande y con barba. Tomás tenía una barbilla tan pelada como un durazno. Abuelo tenía una voz como una tuba. La voz de Tomás era como un silbato.

—Estoy pensando —dijo Tomás.

—Ay —dijo Abuelo.

—Estoy tratando de imaginar cómo eras cuando tenías mi edad.

—Así es como era —dijo Abuelo.

—¿Cómo?

—Como alguien de tu edad.

—¿Te parecías a mí?

—Me parecía mucho a ti.

—Pero no tenías barba.

—Ni un pelo.

—Seguramente eras bajito.

—Sí, era bajito.

—Y tu voz, ¿era como la mía?

—Exactamente.

Tomás suspiró. No podía imaginárselo. Y dejó de intentarlo.

En lugar de ello, intentó decidir si quería pedirle que contara un cuento nuevo o uno viejo. Abuelo sabía más cuentos que un libro lleno de cuentos. Tomás no los había oído todos todavía, porque no hacía más que pedir que se los repitiera. Mientras pensaba lo que quería pedirle, escuchaba los ruidos de la oscuridad. Abuelo también los escuchaba. Una puerta de la casa chirriaba. Un grifo goteaba. Ringo se rascaba en su poste de rascar, luego en la silla de Abuelo. Se rascaba detrás de la oreja, y Abuelo y Tomás podían incluso oír eso. En la estufa, las llamas producían un ruido parpadeante.

—Qué raro —dijo Tomás—, puedo oír mejor en la oscuridad que cuando hay luz.

—Sin duda, porque sólo estás escuchando —dijo Abuelo— y no intentas ver y oír a la vez.

Eso tenía sentido para Tomás y siguió escuchando los sonidos en medio de la oscuridad.

Había relojes. El reloj de la chimenea dio las ocho. *Pin, pin, pin, pin, pin, pin, pin,*

pin-a-lin. El reloj de la cocina parecía muy nervioso. *Tictactictactictactictolón*. También se podían escuchar ruidos de afuera. Las campanas de la iglesia Congregacional repicaron a través de la lluvia. *¡Bon, bon, bon, bon, bon, bon, bon, BON!*

Las ruedas de los automóviles silbaban en las calles mojadas por la lluvia. Los claxones pitaban y aullaban. Una sirena zumbaba en la distancia.

—Abuelo —dijo Tomás—, ¿había automóviles cuando eras niño?

—¡Había *automóviles!* —gritó Abuelo—. ¿Cuántos años crees que tengo?

—Bueno... —dijo Tomás.

—Ahora me vas a preguntar si había electricidad cuando tenía tu edad.

—¡Ay, abuelo! —dijo Tomás riéndose. Después de un rato dijo: —¿Había?

—Vamos a salir al porche —dijo Abuelo—. Aquí dentro hay demasiadas tonterías.

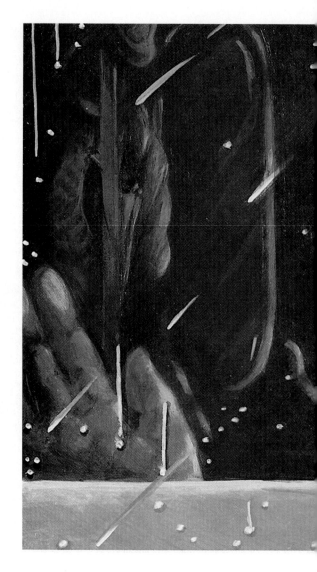

Con la luz de los relámpagos se encaminaron por la puerta principal hasta el porche. Ringo, que siempre seguía a Tomás, lo siguió y saltó a la barandilla.

La lluvia, que golpeaba con fuerza la parte de atrás de la casa, apenas caía ahí. Pero clamaba mezclada con el viento a través de la gran haya del jardín, sacudía ramas, arrancaba varillas. Inundó los arbustos, salpicó en la pila para pájaros y repiqueteó en el tejado de hojalata como si fuera un millón de chinchetas.

Abuelo y Tomás estaban sentados en el columpio, haciéndole crujir hacia delante y hacia detrás, hacia delante y hacia detrás, a la vez que los truenos resonaban y los rayos cortaban el cielo. Los pelos de Ringo se pusieron de punta y miró de un lado para otro con los ojos como platos, aterrorizado por los relámpagos que iluminaban la noche.

El aire olía a pimienta, a jardín y a nuevo.

—Qué raro —dijo Tomás—. También puedo oler mejor en la oscuridad.

Tomás creyó que Abuelo había contestado, pero no pudo oírlo porque en ese momento un rayo partió la gran haya. Arrancó una rama muy fuerte que se estrelló en el suelo.

Eso fue demasiado para Ringo. Saltó a las rodillas de Tomás y se quedó temblando.

—Pobrecito —dijo Tomás.

—Yo tenía un perro cuando era niño —dijo Abuelo—. Les tenía tanto miedo a las tormentas que yo me tenía que esconder debajo de la cama con él cuando había una. Hasta le daba miedo tener miedo solito.

—*Yo* no le tengo miedo a *nada* —dijo Tomás agarrado a su gato.

—Mucha gente no puede decir eso —dijo Abuelo. Y entonces añadió: —Bueno, supongo que cualquier persona puede *decir* eso.

—Yo no les tengo miedo a las tormentas como Ringo y tu perro. ¿Cómo se llamaba?

—Melvin.

—Ese nombre no está bien para un perro —dijo Tomás.

—A mí me parecía que sí —dijo Abuelo tranquilamente—. Era mi perro.

—Me gustan los gatos —dijo Tomás—. ¡Quiero tener un *tigre!*

—No mientras vivas conmigo —dijo Abuelo.

—De acuerdo —dijo Tomás—. ¿Hay algún cuento sobre Melvin?

—Sí que lo hay. Uno muy bueno.

—Cuéntamelo —mandó Tomás—. Por favor, quiero decir.

—Bueno —dijo Abuelo—, cuando Melvin y yo éramos cachorros los dos, yo tenía tanto miedo a las tormentas como él.

—¡No! —dijo Tomás.

—Sí —dijo Abuelo—. No todos podemos ser tan valientes como los tigres.

—Supongo que no —asintió Tomás.

—Así que allí estábamos los dos, escondidos debajo de una cama siempre que había una tormenta.

—Imagínalo... —dijo Tomás.

—Lo estoy haciendo —dijo Abuelo—. Bueno, hubo un día en el que Melvin estaba fuera haciendo cosas suyas y yo estaba haciendo mi tarea, cuando de repente, con sólo un estruendo de aviso... *llegó* el diluvio, *llegaron* los relámpagos y por todas partes nos rodearon los truenos.

—¡Ay! —dijo Tomás—. ¿Qué hiciste?

—Me tiré debajo de la cama.

—Y, ¿qué pasó con Melvin?

—A eso *voy* —dijo Abuelo—. Lo que-pasó-con-Melvin es el *tema* del cuento.

—Ya veo —dijo Tomás—. Esto es muy emocionante.

—Bueno, lo fue entonces. ¿Vas a escucharme o a seguir interrumpiéndome?

—Creo que voy a escuchar —dijo Tomás.

—Bien. ¿Dónde estaba?

—Debajo de la cama.

—Así estaba yo. Bueno, allí me quedé temblando con cada estallido de trueno, y me da vergüenza reconocer que pasó un buen rato antes de recordar que mi pobre perrito estaba afuera solo en medio de la tormenta.

Tomás sacudió su cabeza en la oscuridad.

—Y cuando lo recordé —siguió Abuelo—, me fue dificilísimo obligarme a salir de debajo de la cama e ir a buscar a mi papá o a mi mamá para pedirles que salieran a buscar a Melvin para mí.

—¡Abuelo!

—Te dije que estaba asustado. El cuento que estás escuchando es cierto, y por lo tanto tengo que decir la verdad.

—Por supuesto —dijo Tomás con admiración porque su abuelo estaba contando una verdad como *ésa*—. ¿Los encontraste?

—No. Se habían ido por ahí una hora o así, pero se me había olvidado. Tomás, el miedo le hace cosas raras a la gente... les hace olvidar todo menos lo asustados que están. Tú no sabes nada de eso, ¿verdad?

Tomás acarició a su gato y no dijo nada.

—En fin —siguió Abuelo—, allí estaba yo, solo y asustado en la cocina, y allí estaba mi pobre perrito solo y asustado en medio de la tormenta.

—¿Qué *hiciste*? —preguntó Tomás—. ¿No lo *dejaste* allí afuera? ¿Verdad, Abuelo?

—Tomás, me puse mi impermeable, abrí la puerta de la cocina y salí al porche de atrás justo cuando un relámpago sacudió todo el cielo y el estallido de un

trueno corrió hacia abajo y un hombre muy grande *surgió* de entre la oscuridad ¡llevando a Melvin en sus brazos!

—¡Uuuh!

—Aquel hombre medía siete pies de alto y tenía una cara como una grieta de hielo.

—¡Abuelo! Dijiste que me estabas contando un cuento verdadero.

—Es verdad, porque es así como me pareció a mí.

Se quedó allí de pie, frunciendo el entrecejo y me dijo: —Hijo, ¿es éste tu perro? —y yo asentí con la cabeza porque estaba demasiado asustado para hablar. —Si no tienes más cuidado de él, no deberías tenerlo —dijo el hombre. Me echó a Melvin y se marchó furioso.

—Ay —dijo Tomás—. Eso no fue muy justo. Él no sabía que también estabas asustado. Quiero decir, Abuelo, ¿cuántos años tenías?

—Más o menos los tuyos.

—Bueno, alguna gente de mi edad se puede asustar bastante.

—Tú no, por supuesto.

Tomás no dijo nada.

—Más tarde —continuó Abuelo—, me di cuenta de que aquel hombre no medía siete pies, ni siquiera que era terrible. Él estaba preocupado por el cachorro y por eso no se había parado a pensar en mí.

—Bueno, *yo* creo que debería haberlo hecho.

—Muchas veces la gente no hace lo que debe.

—¿Cuál es el final del cuento?

—Ay, pues lo que ya te imaginas —dijo Abuelo despreocupadamente—. Después de haber superado mi miedo lo suficiente como para olvidarme de mí mismo y pensar en Melvin, nunca más le tuve miedo a las tormentas.

—Ay, qué bien —dijo Tomás.

Durante un rato, se quedaron en silencio. Se había acabado la tormenta. Quedaban sólo parpadeos de relámpagos, murmullos de truenos y repiqueteo de lluvia.

—¿Cuándo va a volver la luz? —preguntó Tomás.

—Sabes lo mismo que yo —dijo Abuelo.

—Quizá no tengamos luz durante horas —dijo Tomás—. ¡Quizá no vuelva hasta *mañana!*

—Quizá.

—Quizá no vuelva *nunca*, y entonces ¿qué haremos?

—Se nos ocurrirá algo —dijo Abuelo.

—¿Abuelo?

—Sí, Tomás.

—Creo... Creo que si tú no hubieras estado aquí, y si Ringo no hubiera estado aquí, y si yo hubiera estado solo en la casa y hubiera habido una tormenta y se hubiera ido la luz durante mucho tiempo, como ahora... creo que quizá *entonces* me hubiera asustado un *poquito*.

—Es perfectamente normal —dijo Abuelo.

Tomás suspiró. Abuelo bostezó. Ringo saltó al suelo del porche y caminó de puntillas hacia el jardín, sacudiendo sus patas.

Al cabo de un rato, volvió la luz. La apagaron, y se fueron a la cama.

Después de la tormenta

Haz una guía

Vete, lluvia, vete

Está lloviendo afuera y no puedes salir. ¿Qué puedes hacer? Con un compañero, haz una guía con las cosas que se pueden hacer durante un día de lluvia.

Representa el teatro de lectores

Pin, pin, pin-a-lin

Con un grupo, lee en voz alta una escena del cuento. Dos compañeros pueden leer los papeles de Tomás y Abuelo mientras que los demás hacen los efectos especiales de todos los sonidos de la noche.

Un día lluvioso

Una descripción por Manuel Hoyo-Vázquez

¿A ti te gustan los días de lluvia? Manuel escribió esta descripción de un día lluvioso, largo y pegajoso.

Un día lluvioso

El martes pasado era un día muy lluvioso. Ese día cuando me desperté, miré por la ventana de mi cuarto y vi que estaba lloviendo muy fuerte. No quería salir de mi cama. Estamos en otoño y hace frío en la mañana. La lluvia me hacía sentir más frío aún. Veía cómo las pocas hojas que quedaban en los árboles se movían con el viento y caían en el patio de mi casa. Todo se veía gris y oscuro.

Por fin, Mamá entró en mi cuarto y me dijo que saliera de la cama o llegaría tarde a clase. Cuando llegué a la escuela caminé hacia el autobús que nos lleva al kindergarten donde ayudamos a los niños a practicar la lectura y hacer sus trabajos. El autobús olía a humedad. El asiento se sentía pegajoso. Pensé que si me sentaba en él, no podría despegarme.

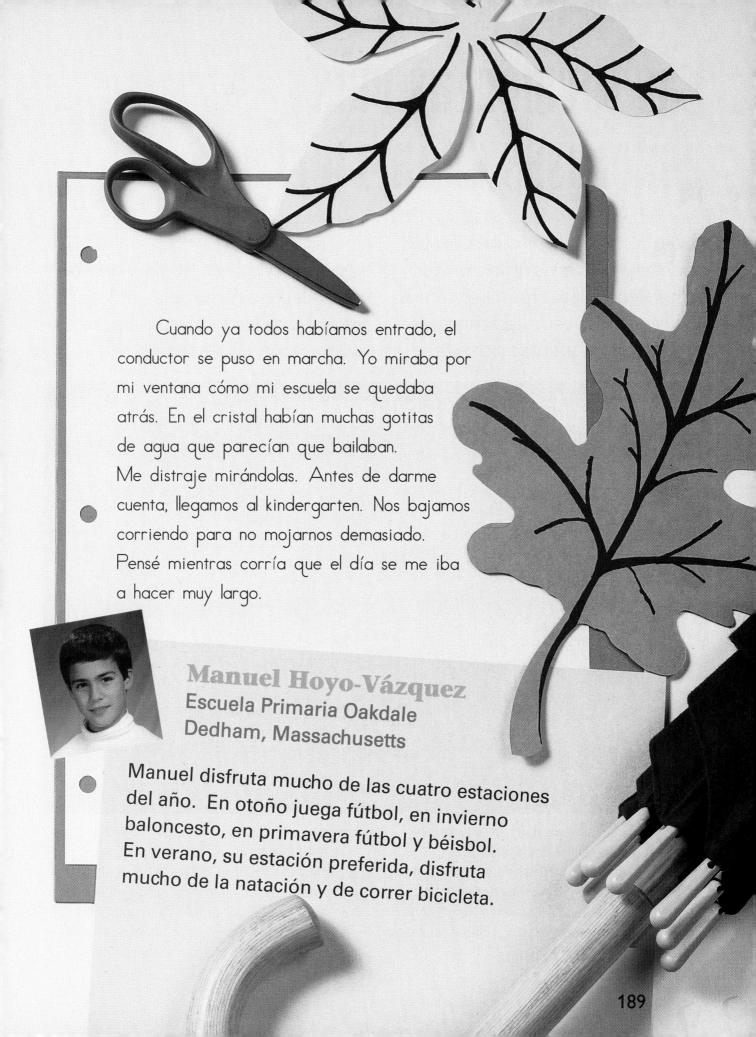

Cuando ya todos habíamos entrado, el conductor se puso en marcha. Yo miraba por mi ventana cómo mi escuela se quedaba atrás. En el cristal habían muchas gotitas de agua que parecían que bailaban. Me distraje mirándolas. Antes de darme cuenta, llegamos al kindergarten. Nos bajamos corriendo para no mojarnos demasiado. Pensé mientras corría que el día se me iba a hacer muy largo.

Manuel Hoyo-Vázquez
Escuela Primaria Oakdale
Dedham, Massachusetts

Manuel disfruta mucho de las cuatro estaciones del año. En otoño juega fútbol, en invierno baloncesto, en primavera fútbol y béisbol. En verano, su estación preferida, disfruta mucho de la natación y de correr bicicleta.

Las tormentas más poderosas de la Tierra

Rayos eléctricos más calientes que la superficie del sol cruzan el cielo. Un tornado levanta una casa y la deja caer cientos de pies más lejos. Una muralla de agua de 25 pies de alto barre la playa, empujada por vientos huracanados de 200 millas por hora. Lo más sorprendente es que estos sucesos son comunes. Todos los años las tormentas matan y hieren a miles de personas en todo el mundo y causan miles de millones de dólares en daños. Lo único que podemos hacer frente a su poder es buscar refugio y esperar a que la tormenta pase.

Tormentas de truenos y relámpagos

▲ Se estima que los rayos caen unas 40 millones de veces al año en los Estados Unidos.

• Un rayo dura sólo 1/10 de segundo, pero tiene suficiente poder (30 millones de voltios) como para alumbrar toda la ciudad de Nueva York.

• Una tormenta media es más poderosa que una bomba atómica.

• Los rayos producen alrededor de la mitad de los incendios forestales de los Estados Unidos.

• El camino que recorren los rayos por el cielo tiene varias pulgadas de anchura y calienta el aire de alrededor unos 20,000 grados Fahrenheit o más. El calor hace que el aire se expanda violentamente y produzca la explosión que oímos como trueno.

190

▲ Para calcular a cuántas millas estás de una tormenta, tan pronto como veas un relámpago, cuenta los segundos hasta que oigas el trueno. Luego divídelo entre cinco.

▼ Para demostrar que los rayos eran electricidad, Benjamin Franklin hizo volar una cometa durante una tormenta (¡algo muy peligroso!). Una chispa saltó desde una llave que estaba en el cordel de la cometa hasta su mano. Franklin también inventó el pararrayos, un instrumento que desvía los rayos.

Tornados

¡AVISO!

Vete a un sótano cuando se acerque un tornado. Si no tienes, métete en un armario lo más alejado posible de las paredes exteriores de la casa.

▲ Los tornados son las tormentas más destructivas de la tierra. Los vientos que hay en la columna negra que gira, llamada embudo de nubes, pueden pasar de 300 millas por hora. El embudo de nubes es como un aspirador gigante que levanta carros, casas y todo lo que se encuentra en su camino.

Después de un tornado, la gente nota cosas raras. A veces, por ejemplo, trozos de trigo están ensartados en los árboles como flechas, o un cardumen de peces termina en el jardín de alguien.

Alrededor del 75 por ciento de todos los tornados se producen en los Estados Unidos.

▲ Las tormentas de polvo son embudos de aire caliente que se levantan de lugares secos y polvorientos.

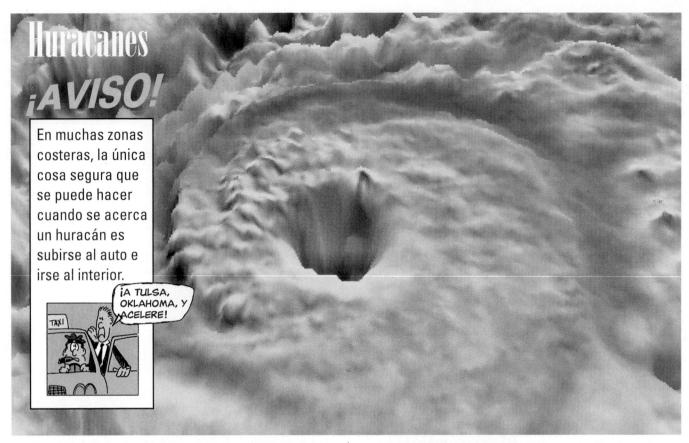

Huracanes

¡AVISO!

En muchas zonas costeras, la única cosa segura que se puede hacer cuando se acerca un huracán es subirse al auto e irse al interior.

¡A TULSA, OKLAHOMA, Y ACELERE!

TAXI

▲ Cuando el aire absorbe la evaporación caliente del agua del mar, se empiezan a formar nubes de tormenta. Los vientos fuertes de la atmósfera hacen girar estas nubes.

Mientras la tormenta sigue pasando por encima de agua caliente, se hace más y más grande y los vientos se vuelven más violentos.

Un huracán está a plena potencia cuando se crea un centro de calma, llamado el ojo del huracán, dentro de los vientos que giran. Los vientos más fuertes, de hasta 225 millas por hora, se encuentran justo fuera del ojo, pero puede haber mucho viento y lluvia tan lejos como a 250 millas del ojo del huracán.

◄ 40 millones de estadounidenses viven en zonas costeras que son vulnerables a los huracanes. En 1992, el huracán Andrew destrozó el sur de Florida y Luisiana.

192

▼ Los científicos usan las fotos que toman los satélites para seguir a los huracanes cuando se forman encima de los océanos.

▼ El ojo del huracán es el centro de la tormenta, donde los vientos generalmente no pasan de 15 millas por hora. Los aviones pueden volar dentro para medir.

Otro tiempo salvaje

Además de tormentas poderosas, el tiempo también muestra su furia de otras maneras.

▼ Cuando no llueve suficiente hay sequía. En los años 1930, una sequía de siete años convirtió 50 millones de acres de granjas del Medio Oeste en un devastador pozo de polvo.

▼ Durante seis meses del año, en la India cae mucha lluvia. Los monzones vierten cientos de pulgadas de lluvia, a veces hasta un pie al día.

Acerca de William Steig

William Steig comenzó su carrera
como dibujante de caricaturas. A
los 61 años escribió e ilustró su
primer libro para niños. Durante
los siguientes quince años, Steig
escribió e ilustró más de una
docena de libros. En todos sus
libros, los protagonistas son
animales. *Irene, la valiente* es
su primer libro en el que el
protagonista es una persona.

Irene, la valiente

William Steig

La señora Buendía, modista de profesión, estaba cansada y tenía un fuerte dolor de cabeza, pero aun así logró dar las últimas puntadas al traje de fiesta que estaba cosiendo.

—¡Es el vestido más bonito del mundo! —dijo su hija Irene—. Le gustará a la duquesa.

—Es elegante —admitió la madre—. Pero el baile es esta noche, mi cielo, y no me siento con fuerzas para ir a entregarlo. Me encuentro mal.

—¡Pobre mamá! —dijo Irene—. ¡Puedo llevarlo yo!

—No, tesoro, no lo puedo permitir —dijo la señora Buendía—. El paquete es muy grande y el palacio queda lejos. Además ha comenzado a nevar.

—Pero a mí me gusta la nieve —insistió Irene. Logró que su mamá se metiera en la cama, la cubrió con dos mantas y le puso una colcha sobre los pies. Le preparó un té caliente con limón y miel, y avivó el fuego de la estufa con más leña.

Irene sacó el traje del maniquí con mucho cuidado y lo guardó en una caja con bastante papel de seda para que no se arrugara. —Abrígate mucho, cariño mío —le dijo su mamá con voz débil—. Y no olvides abrocharte bien. Fuera hace frío y sopla el viento.

Irene se puso sus botas forradas de lana, su gorro y su bufanda de color rojo, su abrigo de invierno y los guantes. Cubrió de besos la frente caliente de su madre y se aseguró, una vez más, de que estaba bien arropada. Tomó en sus brazos la caja y salió de la casa muy despacio, cerrando con firmeza la puerta a sus espaldas.

Fuera hacía realmente frío, mucho frío. El viento levantaba
la nieve y los copos volaban en todas direcciones, dándole en
la cara a Irene. Se encaminó cuesta arriba, en dirección al
campo donde pastaban las ovejas del granjero Benedeto.

Cuando finalmente llegó, la nieve le cubría los tobillos y
el viento soplaba cada vez más fuerte. El viento la empujaba y
la hacía avanzar a trompicones. Irene estaba molesta, ¡ya tenía
suficiente problema con la caja!

—¡Ten cuidado! —amenazó al viento, arremetiendo enérgicamente contra él.

A mitad de camino, la nieve comenzó a caer más espesa. Y el viento arreció tanto que la pobre Irene iba dando saltos y tumbos, tratando de mantener el equilibrio y no caer. La nieve fría se le metía en las botas y tenía los pies congelados. Se mordió los labios y siguió adelante. La suya era una misión muy importante.

Cuando la niña llegó al Camino de las Manzanas, el
viento decidió lucirse. Desprendió con furia ramas de
los árboles y las hizo volar en todas direcciones.
Levantó la nieve caída y la impulsó con tal fuerza contra
Irene que no la dejaba avanzar. Entonces la niña dio
media vuelta y se abrió camino andando de espaldas.

—¡Regresa a casa! —chillaba el viento—. Irene,
regreeesa...

—De ninguna manera —estalló Irene—. ¡No voy a
darte este gusto, viento malito!

—Re-gre-sa —rugía el viento—. REGRESA A
CASA o ya verás.

Por un segundo Irene se preguntó si debía o no
rendirse a las amenazas del viento. Pero ¡NO! *¡Tenía
que entregar el vestido a la duquesa!*

El viento trataba de arrebatarle la caja: la aplastaba,
le daba vueltas, la sacudía. Pero Irene no cedía. —¡Es el
trabajo de mi mamá! —gritaba.

De repente, el viento le arrancó la caja de las manos
y la lanzó rodando por la nieve. Irene salió corriendo
tras ella.

Se abalanzó y logró alcanzar la caja, pero el malito viento se la rompió. El traje de fiesta salió volando, como si estuviera bailando un vals en el aire empolvado de nieve con unos compañeros de papel de seda. Irene se aferró a la caja vacía, mirando cómo el traje desaparecía.

¿Cómo podía suceder una cosa tan horrible? Los
ojos se le llenaron de lágrimas, que se le congelaron en
las pestañas. Todo el trabajo de su querida mamá, todos
aquellos días de medir, cortar, marcar y coser... ¿para
qué? ¡Y la pobre duquesa! Irene decidió que tenía que
continuar aunque sólo llevase la caja vacía, y explicar
personalmente lo sucedido.

Avanzó arrastrando los pies por la nieve.
¿Entendería su mamá que había sido culpa del viento y
no de ella? ¿Se enfadaría la duquesa? El viento parecía
aullar como una bestia salvaje.

En un descuido, Irene dio un paso en falso, cayó y
se torció el tobillo. Le echó la culpa al viento. —¡Basta
ya! —le riñó—. Ya has causado bastante daño. ¡Lo has
estropeado todo! *¡Absolutamente todo!* —El viento
engulló sus palabras.

Muy dolorida, se sentó en la nieve: temía no poder seguir adelante. Al fin logró ponerse en pie y continuar camino. ¡El tobillo le dolía muchísimo! ¡Qué lejos quedaba su hogar! Y le hubiera gustado tanto estar allí, junto a su mamá, al calor de la lumbre... El palacio tenía que estar ya cerca, pensó. Pero, con tanta nieve, ¿cómo iba a encontrarlo?

Avanzaba despacio, trazando surcos con el pie lastimado. El corto día de invierno llegaba a su fin.

—¿Estaré avanzando por el camino correcto? —se preguntaba. No había nadie a su alrededor que se lo pudiera indicar. Quienquiera que habitara en aquel mundo, cubierto de nieve, estaría lejos, muy lejos, e incluso los animales se habían resguardado del frío en sus guaridas. La niña siguió caminando fatigosamente.

La noche descendió de repente. Pero aun así la niña sabía que la nieve continuaba cayendo: la sentía. Tenía frío y estaba sola en un lugar desconocido. Irene se había perdido.

Tenía que seguir andando. Quizás encontraría una
casa, cualquier casa, que le abriría sus puertas.
Necesitaba, sobre todo, que alguien la estrechase entre
sus brazos. La nieve le llegaba por encima de las rodillas.
Avanzaba a trompicones, aferrada a la caja vacía.

Se estaba preguntando cuánto tiempo más podría
resistir una persona tan pequeña como ella, cuando se dio
cuenta de que clareaba a su alrededor. Era un resplandor
muy tenue, que procedía de algún lugar más bajo.

Avanzó con dificultad en dirección a la luz, y pronto
pudo contemplar, al final de la pendiente, una mansión
toda iluminada. ¡Tenía que ser el palacio!

Irene se abalanzó con todas sus fuerzas hacia adelante y —¡catapum!— se precipitó pendiente abajo y quedó enterrada en la nieve. Se había caído por un pequeño despeñadero. Sólo su gorro y la caja que sujetaba entre las manos sobresalían de la nieve.

Aunque pudiera pedir ayuda, nadie la oiría. Tiritaba de pies a cabeza. Le castañeteaban los dientes. ¿Por qué no morir congelada y terminar con tanto sufrimiento? ¿Por qué no? Ya estaba casi enterrada.

¿Y no volver a ver nunca el rostro de mamá? ¿De su querida mamá, que olía a pan recién horneado? En un arranque de furia, dio un salto que la dejó libre, y pudo al fin ponerse de rodillas y mirar a su alrededor.

¿Cómo llegar allí abajo, hasta aquel palacio relumbrante? No había terminado de hacerse la pregunta, cuando ya sabía la respuesta.

Puso la caja en la nieve y se encaramó en ella, pero con el peso la caja se atascó. Lo intentó una vez más y, en esta ocasión, subió a la caja de un salto, y la caja salió disparada como un trineo.

El viento soplaba con fuerza contra Irene, pero ya no la podía detener. En poco tiempo estaría de nuevo entre seres humanos, dentro del palacio caliente. El trineo aminoró la marcha y se paró justo ante un pavimento de piedra.

Había llegado el momento de darle la mala noticia a la duquesa. Con la caja apretujada contra el pecho, Irene se encaminó nerviosa hacia el palacio.

Pero de repente se le paralizaron los pies y quedó con la boca abierta. No lo podía creer. Quizás era todo un sueño; pero no, allí, un poco hacia la derecha y abrazado al tronco de un árbol, ¡estaba el vestido de noche! El viento lo sujetaba.

—¡Mamá! —gritaba Irene—. ¡Mamá, lo he encontrado!

Logró como pudo, a pesar de las interferencias del viento, bajar el vestido del árbol y colocarlo dentro de su caja. Y en un momento estaba frente a la puerta del palacio. Llamó a la puerta dos veces con el picaporte de bronce. La puerta se abrió y la niña se precipitó dentro.

Toda la servidumbre la recibió con alegría, y la duquesa estaba encantada. No podían creer que Irene hubiera venido sola bajo aquel temporal. Tuvo que contarles lo sucedido, con todo lujo de detalles, y lo hizo.

Después rogó que la llevaran a su casa, junto a su madre enferma. No era posible, opinaron todos. El camino que rodeaba la montaña no quedaría limpio hasta la mañana.

—No te preocupes, pequeña —dijo la duquesa—.
A estas horas, tu mamá seguramente estará durmiendo.
Te llevaremos allí a primera hora de la mañana.

Le sirvieron una magnífica cena, junto al fuego,
mientras se secaban sus ropas. La duquesa, entre tanto,
se puso su vestido, recién planchado, antes de que los
invitados empezaran a llegar en sus trineos.

¡Qué baile tan maravilloso! La duquesa, en su
vestido nuevo, parecía una estrella relumbrando en el
cielo. Irene, con su sencillo vestido, estaba radiante.

Los más distinguidos aristócratas la sacaron a bailar,
y tuvieron la precaución de mantenerla con los pies en el
aire para que no le doliera el tobillo lastimado. ¡Cuánto
iba a disfrutar su mamá cuando se lo contara todo!

A la mañana siguiente, mucho después de que la nieve hubiera cesado de caer, la señora Buendía despertó de una buena noche de descanso, sintiéndose mejor. Se apresuró a encender el fuego de la estufa, que estaba fría. Entonces fue al cuarto de Irene.

¡Pero la cama de Irene estaba vacía! La madre corrió hacia la ventana y contempló el paisaje cubierto de nieve. Fuera no había nadie. Un polvillo de nieve caía de la rama de un árbol.

—¿Dónde está mi niña? —lloraba la señora Buendía, y se echó el abrigo encima para ir a buscarla.

Cuando abrió la puerta, se topó con una ventolera de nieve. Pero, al fijar la vista, pudo ver que se acercaba un trineo tirado por caballos. Y sentada en el trineo, entre dos sirvientes, estaba la misma Irene, soñolienta pero contenta.

¿Te gustaría conocer el final?

Pues bien, en la parte trasera del trineo venía un médico que tenía barba. Y la duquesa había enviado, para la mamá de Irene, un delicioso bizcocho de jengibre cubierto de nata, algunas naranjas, una piña y caramelos de menta, junto con una nota donde le daba las gracias por aquel vestido tan bonito y le decía lo valiente y lo cariñosa que era su hija Irene.

Esto, desde luego, la señora Buendía lo sabía perfectamente. Mejor incluso que la propia duquesa.

¡A salvo del frío!

Escribe una canción

La balada de Irene, la valiente

Escribe y representa con un compañero una canción sobre Irene, la valiente. Incluye detalles sobre sus momentos más difíciles. Quizá quieras usar una melodía que ya conozcas.

Haz un diorama

¿Qué hay en la caja?

El viaje desde la casa de Irene al palacio fue largo. Haz un diorama que muestre una de las muchas aventuras que tuvo Irene en su viaje. Usa una caja de zapatos, motas de algodón y otros materiales de trabajo.

Cómo Don Nieve aprendió una lección

escrito e ilustrado por C. J. Taylor

Hace mucho tiempo, durante el invierno, Don Nieve bajó desde el norte y no quiso marcharse. La primavera no llegó. Los pájaros no volvieron. Los animales se escondieron para huir de los vientos glaciales. La nieve cubría la tierra y el hielo cubría los ríos, de forma que era muy difícil conseguir comida. Cuando la gente iba a recoger leña, Don Nieve acribillaba sus orejas y sus narices con el frío. La gente temía que no volviera a haber primavera, verano ni otoño, y que no volvieran a poder cazar, pescar o buscar moras.

En junio de aquel año, Don Nieve decidió volver a su casa del norte, y la nieve comenzó a derretirse. Lobo Gris reunió a la gente: —Tenemos que darle una lección a Don Nieve. Se ha hecho demasiado poderoso.

Talló un tazón en un gran trozo de leña, puso los últimos restos de nieve que se derreteian en él y colocó el tazón debajo de los rayos del sol. Mientras se iba derritiendo, gritaba: —Don Nieve, ¡no te tengo miedo!

En ese momento, como si fuera un aviso, un viento frío sopló desde el norte. La gente se asustó.

—No enojes a Don Nieve —le dijeron a Lobo Gris—, o el invierno próximo será todavía más largo y más frío.

Pero Lobo Gris había decidido encontrar la manera de ayudar a su gente. Sabía que Don Nieve ahora estaba enojado y que lo perseguiría a él en el otoño. Trabajó mucho durante todo el verano. Construyó un refugio lejos del pueblo y apiló leña alrededor de éste hasta que el refugio quedó oculto. Guardó las pieles de los animales que había cazado y conservó la carne para comer. E hizo algo diferente: en lugar de comer la grasa del animal, como hacía su gente, la derritió para hacerla aceite y la conservó en su tazón de madera.

Los días se iban haciendo más cortos y llegó el otoño. A los días frescos los seguían noches más frías. Un día, el sol ni siquiera salió. Lobo Gris sabía que Don Nieve estaba a punto de atacar. Se metió en su refugio, se puso los abrigos de piel muy apretados, hizo un fuego y esperó a Don Nieve.

Don Nieve llegó enfurecido al pueblo.

Durante varios días sopló su aliento de hielo por todas partes y cubrió el suelo de nieve mientras buscaba a su enemigo. Lobo Gris estaba encogido en su refugio y se sentía débil por el frío. El viento pasaba a través de las grietas y le hacía muy difícil mantener el fuego encendido. "Nunca he estado tan helado", pensó.

Don Nieve encontró el refugio de Lobo Gris y entró en él con una ráfaga de aire frío. El fuego tembló a punto de apagarse. Don Nieve se rió.

—¿Crees que puedes vencerme? —dijo con desprecio.

Con un último resto de fuerza, Lobo Gris alcanzó su tazón de madera y arrojó el aceite a las ascuas del fuego. Las llamas saltaron y bailaron frenéticamente iluminando el refugio. Don Nieve se cayó hacia atrás sudando, jadeando.

—Tu fuego es demasiado caliente para mí —lloraba Don Nieve que temblaba de miedo en una esquina—. Me has vencido —musitaba—, pero volveré.

Y sin más, se fue corriendo de la cabaña, y dejó una estela de nieve derretida. Lobo Gris sintió fuerza y el tiempo cálido regresó.

La gente no podía creer que Lobo Gris hubiera vencido a Don Nieve; y no lo hizo hasta que la primavera llegó a tiempo aquel año. Así, los cazadores aprendieron de Lobo Gris a conservar las grasas de los animales que traían a casa para hacer que los fuegos del invierno ardieran luminosamente.

Don Nieve todavía vuelve cada año con su viento helado, hielo y nieve. Pero gracias a Lobo Gris, Don Nieve no es tan poderoso como era antes.

Hacia el cielo

Manuel S. Morales

Una lluvia de refranes

El sol sale para todos.

Marzo ventoso, abril lluvioso,
sacan a mayo florido y hermoso.

Mañana de niebla,
tarde de paso.

Arco iris al amanecer,
agua al anochecer.

¡QUÉ DÍA!

Índice

Lee por tu cuenta

LIBRO DE BOLSILLO **EXTRA**

Vejigante Masquerader

por Lulu Delacre

Un niño hace su propio disfraz para la celebración del Carnaval.

En el mismo libro...

Poesía y fotografías sobre la celebración del Carnaval en todo el mundo.

Libros de pasatiempo

Los farolitos de Navidad
por Rudolfo A. Anaya
Celebre la Navidad de Nuevo México con Luz y su familia.

En el mismo libro...
Instrucciones para hacer las luminarias y mucho más.

LIBRO DE BOLSILLO **EXTRA**

El pañuelo de seda
por Alma Flor Ada
Anita descubre el significado de la compasión cuando encuentra y cuida un pájaro herido.

Por fin es Carnaval
por Arthur Dorros
Un niño de los Andes peruanos espera impacientemente el Carnaval.

Un hatillo de cerezas
por María Puncel
Un joven aprende que es mejor dar que recibir.

Alexander y el día terrible, horrible, espantoso, horroroso
por Judith Viorst
Cuando Alexander se despierta un día con el pelo lleno de chicle, empieza un día loco y lleno de contratiempos. ¿Qué más le puede pasar si el día no ha hecho más que empezar?

BEVERLY CLEARY

RAMONA Y SU MADRE

ilustrado por Alan Tiegreen

La gran discusión sobre el pelo

—Ramona, ponte recta y no te muevas —dijo la señora Quimby un sábado por la mañana—. No puedo cortarte bien el flequillo si no paras de dar saltitos.

—Bueeeno —dijo Ramona. Los trozos de pelo cortado que se le metían por la nariz le hacían cosquillas. Resopló hacia arriba para intentar remediarlo, pero sólo consiguió que se le levantara el flequillo como una visera.

—No hagas eso—dijo la señora Quimby mientras le peinaba el flequillo.

Ramona consiguió quedarse quieta, soportando las ganas de estornudar y moviendo la nariz para quitarse de encima los mechones de pelo recién cortado, hasta que su madre dijo:

—Ya está, ratita, ya hemos terminado.

Le quitó la toalla de los hombros y la sacudió en el cubo de basura de la cocina. A Ramona le gustaba mucho que su madre le llamara ratita, así que siguió moviendo la nariz y pensando en las ratitas y los osos que salían en aquellos cuentos que le leía su madre antes de darle el beso de buenas noches. Echaba de menos aquella época porque eran cuentos que le hacían sentirse protegida. Durante el día prefería leer historias de excavadoras... cuanto más ruidosas, mejor. Pero por la noche no hay nada como un buen cuento de osos y ratitas.

—¡Siguiente! —dijo la señora Quimby a su hija mayor, que acababa de lavarse el pelo.

Últimamente Bea pasaba mucho tiempo encerrada en el cuarto de baño con un bote de champú. —Bea, no me hagas esperar —dijo la señora Quimby—. Aún tengo muchas cosas que hacer esta mañana.

Se había estropeado la lavadora, pero como todos estaban fuera durante el día, no servía de nada llamar al servicio técnico porque no iba a haber nadie en casa para abrir la puerta. Por eso, lo siguiente que tenía que hacer la señora Quimby era ir a la lavandería con tres sacos de ropa sucia. Resulta que el servicio técnico no funciona los sábados.

—Te estoy esperando —repitió la señora Quimby.

Bea se quedó en la puerta frotándose el pelo con la toalla.

—Madre, no quiero que me cortes el pelo —anunció.

Ramona, que estaba a punto de marcharse de la cocina, decidió quedarse. Aquello tenía toda la pinta de acabar en una discusión de lo más interesante.

—Pero Bea, lo tienes demasiado largo —protestó su madre—. Tienes un aspecto un poco desaliñado.

—No me importa —dijo Bea—. Me gusta como lo tengo.

—Estarías mucho más mona con el pelo bien cortado —dijo la señora Quimby procurando no perder la paciencia—. Y además, la manera de ser es más importante que el aspecto físico.

—Qué anticuada eres —dijo Bea.

La señora Quimby puso cara de estar enfadada y sorprendida a la vez.

—No me digas —contestó.

A Bea no le hizo ninguna gracia que a su madre le pareciera divertido lo que había dicho.

—Pues es verdad —exclamó.

—Bueno, pues seré una anticuada —dijo su madre como si no estuviese en absoluto de acuerdo—. Pero eso es lo de menos. No puedes ir por ahí con ese pelo tan largo y descuidado.

234

—Qué exagerada. Ni que fuera un perro de
lanas —dijo Bea.

La señora Quimby prefirió no contestar y
Ramona, fascinada, se quedó esperando para ver
qué sucedía. En el fondo estaba encantada, aunque sabía que no
debería estarlo, de que su madre se hubiera enfadado con Bea.
Pero por otra parte, le preocupaba que estuvieran discutiendo.
Le gustaba que los miembros de su familia se llevaran bien.

—Yo quiero ir a una peluquería como todas mis amigas
—dijo Bea.

—Ya sabes que ahora no andamos muy bien de dinero
—dijo la señora Quimby—. Y tú tienes un pelo muy manejable.

—Creo que soy la única de mi clase a la que le cortan el pelo en casa —insistió Bea como si no hubiera oído el discursito de su madre.

—Ahora la que está exagerando eres tú —dijo su madre con voz de cansancio.

A Ramona no le gustaba ver a su madre con aspecto de cansada y decidió echarle una mano.

—Carmen, que está en mi clase, me ha dicho que su madre le corta el pelo, y a su hermana también, y su hermana está en tu clase.

Bea miró a su hermana con cara de furia. —¡Tú no te metas!

—Vamos a procurar tranquilizarnos —dijo la señora Quimby.

—Si yo estoy muy tranquila —dijo Bea—. Lo único que pasa es que no quiero que me cortes el pelo, y ya está.

—Deberías ser más sensata —dijo su madre.

Bea hizo una mueca y dijo: —Llevo toda la vida siendo Bea la sensata y ya estoy harta. Ramona siempre se sale con la suya, pero yo siempre tengo que ser Bea la sensata.

—Mentira —dijo Ramona indignada—. Yo nunca me salgo con la mía.

La señora Quimby se quedó callada un momento y luego dijo:

—Pues yo también estoy harta de ser sensata.

Las hermanas se quedaron muy sorprendidas, sobre todo Ramona. Se supone que las madres tienen que ser sensatas siempre. Para eso están.

La señora Quimby añadió: —De vez en cuando me entran ganas de hacer cosas que no son nada sensatas.

—¿Qué cosas? —preguntó Bea.

—Pues... no sé —dijo la señora Quimby mirando la pila llena de platos y la lluvia repiqueteando en las ventanas—. Sentarme en un almohadón al sol, por ejemplo, coger dientes de león y soplar para quitarles la pelusa.

237

A Bea le costaba trabajo creer lo que acababa de oír.

—Pues en esta época no vas a encontrar ni uno —le indicó a su madre.

Ramona se sintió más unida a su madre de repente, pero le entró un poco de timidez.

—A mí también me gustaría sentarme en un almohadón y soplar la pelusa de los dientes de león —confesó Ramona.

Qué divertido sería sentarse las dos al sol, coger flores y llenarlo todo de pelusa amarilla. Se acercó a su madre, que le puso el brazo alrededor de los hombros y le dio un apretón cariñoso. Ramona movió la nariz como una ratita.

—Madre —dijo Bea—, te has pasado toda la vida diciéndonos que no hay que soplar los dientes de león porque se desperdigan las semillas por el jardín y se estropea la hierba.

—Es verdad —admitió su madre—. Cuando quiero, soy muy sensata.

Bea no supo qué decir.

—Qué bonito tienes el pelo, mamá —dijo Ramona.

Y era verdad. Su madre tenía el pelo corto y liso, con la raya a un lado. Normalmente solía llevar un mechón metido detrás de la oreja izquierda. Siempre olía bien. Tenía el pelo justo como lo debe tener una madre.

—Me gusta como te queda —continuó— y no me importa que me lo cortes a mí —para no mentir, añadió—: Menos cuando me haces cosquillas en la nariz.

—Pues qué suerte tienes, so mema —dijo Bea indignada.

Se dio la vuelta y salió de la cocina. Luego oyeron un portazo.

238

A Ramona le había sentado muy mal el comentario de su hermana.

—No soy mema, ¿verdad? —preguntó a su madre.

—Claro que no —dijo su madre—. Mis hijas pueden tener algún otro defecto, pero no son unas memas.

Ramona movió la nariz como una ratita.

Después de aquello, ni la señora Quimby ni Bea volvieron a sacar el tema del pelo. Bea lo tenía cada vez más largo y Ramona decidió que aún no parecía un perro de lanas, pero desde luego le faltaba poco. También se dio cuenta de que por muchas ganas que tuviera su madre de decirle algo a Bea, había decidido no abrir la boca.

Bea, por su parte, parecía tener una actitud desafiante. Cuando estaban cenando siempre ponía cara de "Nadie me corta el pelo si yo no quiero".

Ramona descubrió que aunque al principio se había alegrado de que su madre se enfadara con su hermana, ya no le hacía ninguna gracia. No merecía la pena que toda la familia estuviera de mal humor por una tontería semejante.

—Mujeres —murmuraba el señor Quimby todas las noches a la hora de cenar. Otras veces, como si estuviera muy preocupado con la cuestión del pelo, decía que se estaba quedando un poco calvo por arriba y que quizá le convenía darse unos masajes en el cuero cabelludo.

En general, la conversación era bastante tensa. Bea hablaba con su madre lo menos posible. La señora Quimby intentaba actuar como si no hubiera pasado nada y decía, por ejemplo:

—Bea, cuando veas que se está acabando el champú, acuérdate de apuntarlo en la lista de la compra. Los demás también nos lavamos la cabeza.

—Sí, madre —decía Bea.

A Ramona le entraban ganas de gritar: "¡Ya basta!" No hacía más que pensar en temas interesantes de los que pudieran hablar a la hora de cenar para ver si conseguía que se olvidaran del pelo.

Una noche, intentando distraerles, Ramona les contó que su profesora les había dicho que no se asustaran al ver palabras largas porque muchas de ellas contienen una palabra o más de una: un "lavaplatos" es una máquina que lava platos y una "tortita" es una torta pequeña.

—Y además, una misma palabra puede tener varios significados —dijo la señora Quimby—. Una tortita puede ser un alimento hecho a base de masa frita o puede ser un cachete, que de vez en cuando les viene muy bien a las niñas mimadas.

—Ya lo sé —dijo Ramona—. Un buen cachete en el moflete.

Sus padres soltaron una carcajada y Ramona se quedó encantada, pero de repente se dio cuenta de que su hermana no había hecho ninguna gracia.

Bea suspiró ruidosamente.

—Madre —dijo como si supiera que a la señora Quimby no le iba gustar mucho lo que iba a decir—. Bastantes niñas del colegio se cortan el pelo en una escuela de peluquería que se llama Roberto —dijo hablando atropelladamente—. Los que cortan el pelo son alumnos que están aprendiendo, pero hay una profesora que vigila para que lo hagan bien. Por eso es más barato que una peluquería normal. He estado ahorrando de mi paga semanal y hay una señora que se llama Dana que es muy buena. Sabe cortar el pelo igual que el de la chica esa que sale por la tele patinando sobre hielo. ¿Sabes cuál te digo? La del pelo que parece que flota mientras da vueltas y luego se le queda perfecto cuando para. Anda, por favor, déjame ir.

Después de acabar el discurso se echó hacia atrás con un gesto entre suplicante y tenso.

La señora Quimby, que tenía cara de preocupación al principio de la parrafada, se relajó. —De acuerdo —dijo—. ¿Dónde está la escuela de peluquería ésa?

—En el zoco que acaban de abrir —explicó Bea—. Lo malo es que está en la otra punta de la ciudad, pero hago lo que sea si me dejas ir. Anda, por favor.

Ramona no se tomó muy en serio la promesa de su
hermana, pero sabiendo que la armonía familiar dependía de
ello, a la señora Quimby no le quedó más remedio que rendirse.

—Bueno —dijo con resignación—. Pero tendré que llevarte
en coche. Vamos a esperar al sábado y nos pondremos en manos
de Dana después de llevar a tu padre a trabajar.

—¡Gracias, mamá! —exclamó Bea.

Era la primera vez que se ponía contenta desde que había
empezado la gran discusión sobre el pelo. Ramona también se
puso de buen humor, aunque sabía que no se iba a librar de
tener que ir con ellas a la escuela esa. Aún así, decidió que
estaba dispuesta a aburrirse durante una mañana entera
sabiendo que todos iban a estar más tranquilos.

Por fin llegó el día señalado, un sábado frío y lluvioso.
Ramona estaba empezando a desesperarse porque hacía un
tiempo tan malo que llevaba muchísimo tiempo sin poder
patinar sobre ruedas.

Los Quimby desayunaron rápidamente, dejaron los cacharros sin fregar, se metieron en el coche y salieron con los limpiaparabrisas a todo meter para dejar al señor Quimby en el supermercado *Shop-Rite*. Ramona, pensando en el rollazo de la mañana que tenía por delante, se dio cuenta de que Bea estaba nerviosa al ver cómo apretaba con fuerza el monedero de ganchillo donde llevaba sus ahorros.

Cuando el señor Quimby se bajó en el supermercado, Bea se sentó delante de su madre. "Siempre le toca a ella", pensó Ramona.

La señora Quimby cogió el carril de la derecha para entrar en la autopista que divide la ciudad en dos.

—Bea, fíjate bien en los carteles, que yo tengo que ir pendiente de la carretera —le indicó su madre.

"Yo también sé leer, si las palabras no son muy largas", pensó Ramona.

La señora Quimby miró hacia atrás a la espera de que no pasasen coches para poder unirse a la riada de coches. Por fin, vio un hueco y logró incorporarse a los que circulaban por la autopista. En seguida llegaron al río, que se veía frío y gris a través de los barrotes del puente. De trecho en trecho aparecía un cartel verde.

—¿Me meto por aquí? —preguntó la señora Quimby, que no sabía muy bien dónde estaba el zoco.

—Sí, por ahí —dijo Bea.

Su madre cogió el carril de la derecha para salir de la autopista.

—Madre —gritó Bea desesperada—. Era la siguiente.

—¿No me habías dicho que ésta? —preguntó la señora Quimby ligeramente enfadada.

—Te he señalado la siguiente —dijo Bea—. Será que no me has visto.

—Claro que no, porque voy conduciendo —dijo la señora Quimby—. Y ahora, ¿qué hacemos para volver a coger la autopista?

242

Se metió en un laberinto de calles estrechas buscando alguna señal que les llevase hacia la autopista. Acabó preguntando a un señor que trabajaba en una gasolinera. El hombre contestó con cara de pocos amigos porque le daba rabia estarse mojando mientras hablaba con ella.

Ramona suspiró. Todo le parecía gris y todo el mundo estaba de mal humor. Además, era completamente injusto tener que tragarse un rollazo de paseo en coche sólo porque a Bea se le hubiera antojado que una tal Dana le cortara el pelo. Su madre no se hubiera tomado tantas molestias con el pelo de Ramona. Mientras pensaba en todo esto, acurrucada en el asiento de atrás, empezó a marearse. Sus padres habían comprado un coche a alguien que tenía un perro enorme y de repente, el coche empezó a oler a perro intensamente.

—Aaay —dijo Ramona con ganas de vomitar.

Se acordó de la avena con leche del desayuno e intentó no pensar en ello.

La señora Quimby echó un vistazo al espejo retrovisor.

—Ramona, ¿estás bien? —preguntó con voz intranquila.

Ramona no contestó. Le daba miedo abrir la boca.

—Creo que va a devolver —dijo Bea.

Desde que estaba en séptimo, Bea decía "devolver" en vez de "vomitar". Le parecía más fino.

—Aguanta un poco, Ramona —dijo la señora Quimby—. No puedo parar en la autopista y no hay ninguna salida a la vista.

—¡Madre! —gritó Bea—. ¡Se está poniendo verde como una aceituna!

—¡Ramona, abre la ventana y aguanta un poco! —ordenó la señora Quimby.

Ramona se encontraba tan mal que no podía moverse. Menos mal que Bea se había dado cuenta. Se desabrochó el cinturón e inmediatamente se empezó a oír un pitido insistente.

—¡Deja de sonar! —dijo Bea al cinturón mientras se daba la vuelta en el asiento para bajar la ventana para Ramona.

Al entrar aire frío dejó de oler a perro y la lluvia que le cayó en la cara hizo que se encontrara mejor, aunque seguía quieta y sin abrir la boca. Aguantar un poco no era fácil.

—¿Cómo me habré metido en este lío? —murmuró la señora Quimby mientras cogía el carril de la derecha para salir de la autopista. Cuando los tres miembros de la tropa llegaron por fin al zoco y aparcaron en frente de la Escuela de Peluquería Roberto, las mujeres salieron del coche y se vieron envueltas en una cortina de agua. Ramona, que se había recuperado rápidamente nada más bajarse del coche, estaba encantada de chapotear en los charcos.

Fuera hacía frío y al entrar en la peluquería notaron una bocanada de aire cálido y perfumado. "Blaj", pensó Ramona mientras escuchaba el sonido del agua, de las tijeras y de los secadores. Un señor, probablemente el mismísimo Roberto en persona, se acercó a ellas y les preguntó: —¿En qué puedo servirles, señoras?

Mientras, Ramona, que estaba sudando del calor, se quitó el abrigo.

A Bea le entró la timidez. —Me... me gustaría que me cortara el pelo Dana —dijo en voz muy baja.

—Dana se sacó el título la semana pasada —dijo Roberto echando una ojeada al biombo que ocultaba las actividades de los alumnos de la escuela—, pero Leo está disponible.

—Adelante —dijo la señora Quimby al ver que Bea le estaba pidiendo consejo con la mirada—. Tú lo que quieres es cortarte el pelo, ¿no?

Entonces Roberto dijo que tenía que pagarle por adelantado. Bea abrió su monedero de ganchillo y desdobló los billetes que había ahorrado. Al ver que Roberto se la llevaba detrás del biombo, la señora Quimby suspiró, se sentó en una silla de plástico y cogió una revista vieja. Ramona procuró entretenerse haciendo dibujos con la punta del pie en los charquitos de agua que había dejado en el linóleo al entrar las tres empapadas.

—Ramona, no hagas eso, por favor —dijo la señora Quimby levantando la mirada de la revista.

Ramona se echó hacia atrás en la silla y suspiró. Empezaba a sentir los pies muy calientes dentro de las botas. Para pasar el tiempo se puso a mirar las fotos de peinados que había en la pared.

—¿Bea se va a quedar como ésa? —susurró.

La señora Quimby volvió a levantar la vista.

—Espero que no —le contestó en voz baja.

Ramona se acercó al biombo para ver qué le estaban haciendo a su hermana y poder informar a su madre.

—Bea está sentada, con la cabeza metida en un lavabo. Un señor le está lavando el pelo. Está echándole muchísimo champú. No hace falta usar tanto.

—Mmm —dijo su madre sin quitar los ojos de la revista.

Ramona volvió la cabeza para ver qué estaba leyendo su madre con tanto interés. Recetas de cocina. Volvió a mirar detrás del biombo.

—Le está frotando la cabeza con una toalla —anunció.

—Mmm.

A Ramona le estaba poniendo nerviosa que su madre no dijera más que "Mmm". Se pasó al otro lado del biombo para poder ver mejor. Leo estaba observando el pelo de Bea, cogiendo cada mechón detenidamente mientras una mujer, que debía ser una profesora, le miraba.

—Ramona, ven aquí —susurró la señora Quimby desde el otro lado del biombo.

Ramona volvió a sentarse en la silla de plástico y se puso a balancear las piernas por debajo de la silla. Cómo le gustaría que a ella también le lavaran el pelo. Levantó las cejas todo lo que pudo para hacer que el flequillo pareciera más largo y pensó en las cuatro o cinco monedas que tenía en una caja de plástico en casa.

—Niñita, ¿quieres que te cortemos el pelo a ti también? —preguntó Roberto como si hubiera adivinado lo que estaba pensando o como si estuviera harto de verla moviendo las piernas.

Ramona paró de mover las piernas y contestó muy finamente:

—No, gracias. Casi no tenemos para llegar al fin del mes.

Se sintió muy mayor al usar esa frase que había aprendido de su padre.

La señora Quimby suspiró con la cara de desesperación y echó un vistazo a su reloj. Estaban tardando bastante en cortarle el pelo a Bea.

—Para los niños de menos de diez años cuesta la mitad —dijo Roberto—. Además, no tendría que esperar nada porque con esta lluvia no tenemos casi gente.

La señora Quimby le miró fijamente el pelo mientras Ramona intentaba levantar las cejas aún más. —De acuerdo, Ramona —dijo—. Es verdad que no te vendría mal cortarte el pelo, y así me quito una cosa de encima.

Cuando quiso darse cuenta, Ramona ya estaba sentada en una silla y con un plástico lleno de caniches pintados sobre los hombros y con la cabeza metida en un lavabo y enterrada bajo montañas de espuma. Mientras, una chica llamada Daniela le frotaba el cuero cabelludo con los dedos. ¡Qué felicidad! Cuando le lavaban el pelo en casa era completamente distinto. Aquí no se le metía jabón en los ojos, no tenía que quejarse de si el agua estaba demasiado fría o demasiado caliente, no se daba golpes en la cabeza con el grifo de la cocina ni se le dormían las piernas de tanto estar de rodillas encima de una silla, nadie le decía que se estuviera quieta y no se le metía agua por la nuca. Lo malo fue que aquella maravilla duró bastante poco. Daniela le frotó el pelo con una toalla y la llevó a una silla frente a un espejo. Desde detrás de la fila de espejos se oía el ruido de las tijeras cortándole el pelo a Bea, con algún silencio de vez en cuando.

—Hazle un corte tipo duende —dijo la profesora a Daniela.

"¿Duende?", pensó Ramona sorprendida y contenta a la vez. Ramona la duende sonaba mejor que Ramona la plomo, que era lo que la llamaban Bea y sus amigas.

—Córtale un poco el flequillo y métele las puntas hacia dentro —dijo la profesora.

Daniela se puso manos a la obra. Se empezó a oír el trac-trac de las tijeras. Al contrario de lo que le ocurría a Leo, que estaba al otro lado del espejo, Daniela sabía lo que hacía. Puede que hubiera estudiado durante más tiempo.

Ramona cerró los ojos. Tris-tras. Daniela le estaba cortando el flequillo. Al abrir los ojos descubrió que se lo había dejado un poco más largo por el centro. "Ahora tengo la frente como la parte de arriba de un corazón —pensó Ramona—. Parezco una tarjeta de San Valentín".

Daniela siguió cogiendo mechones de pelo mojado y cortándolos a toda velocidad. Tris-tras, hasta que llegó al mechón por el que había empezado.

Luego sacó el peine, un secador de mano y un cepillo. Con todo ello le fue poniendo el pelo en su sitio. Al poco tiempo lo tenía seco. Después de pasarle el peine un par de veces más le quitó el plástico y Ramona se vio de repente con el pelo brillante y bien cortado.

—Excelente— dijo la profesora a Daniela—. Le ha quedado monísimo.

Los estudiantes que no tenían clientes se fueron acercando. Empezaron a hacer comentarios que a Ramona le parecían increíbles, como "Qué cosita", "Qué rica", "Un duende encantador". Al otro lado del espejo se oía el zumbido del secador.

Ramona, contenta y sintiéndose ligera, volvió junto a su madre.

—¡Pero bueno, Ramona! —dijo la señora Quimby soltando la revista—. Qué bien te han dejado el pelo. Estás estupenda.

Ramona estaba tan contenta que no podía parar de sonreír. Incluso movió la nariz como una ratita.

Pero algo hizo que la señora Quimby dejara de sonreír. Ramona miró hacia atrás y vio a Bea de pie junto al biombo. Bea tenía el pelo ahuecado diez centímetros por encima de la cabeza. El flequillo se le había quedado tieso de la cantidad de laca que le habían puesto. No se parecía nada a la chica que salía patinando en la tele. Parecía lo que era: una niña de séptimo desesperada porque la habían peinado como a una señora de cuarenta.

A Ramona no se le ocurría nada que decir. Todos se quedaron mudos menos Roberto, que dijo: —Estás maravillosa, cielo.

Pero nadie le contestó. Bea tenía la cara igual de tiesa que el pelo.

Ramona pensó en todo el dinero que había ahorrado su hermana y le entraron ganas de gritar a Roberto: "¡De maravillosa nada! ¡Está horrible!", pero por una vez en la vida, logró contenerse. Le daba pena que su hermana hubiera estado ahorrando tanto para aquello, pero muy en el fondo, aunque le daba vergüenza pensarlo, notaba una pequeña sensación de triunfo. No había duda de que ella estaba mejor que su hermana.

Ramona se dirigió hacia el coche cuidadosamente. No quería correr ni dar saltos para no despeinarse. Bea no abrió la boca. Cuando las tres ya tenían el cinturón puesto, Bea no pudo más.

—¡Bueno, venga, podéis decirlo! —exclamó indignada y llorosa—. Podéis decirme que estoy feísima, que me han dejado el pelo tieso y horrendo, como si fuera una peluca. ¡Y encima una peluca barata!

—No es para tanto, Bea —dijo su madre con suavidad.

—¡Sí que es para tanto! —siguió Bea—. Le he dicho al Leo ese que no me pusiera el pelo de punta, pero según él, me iba a quedar muy bien. Y ahora resulta que te he hecho perder la mañana entera y yo me he gastado todos mis ahorros. Estoy espantosa y así no puedo ir al colegio porque se van a reír de mí todos.

Después de esto se puso a llorar desconsoladamente.

—Vida mía —dijo la señora Quimby mientras abrazaba a Bea y le dejaba llorar sobre su hombro.

A Ramona se le llenaron los ojos de lágrimas. Se sentía incapaz de soportar la tristeza de su hermana, incluso aunque le hubiera quedado a ella mejor que a Bea. Ese pelo tan tieso, el dinero desperdiciado... Ya ni siquiera estaba contenta de que le hubieran cortado tan bien el pelo. No quería tenerlo mejor que Bea. Quería que las dos lo tuvieran igual para que la gente dijera: "Mira, es Beatriz Quimby, esa chica tan simpática. Va con su hermana, que también es muy simpática".

—Yo lo único que quería era estar mona —dijo Bea con la boca aplastada contra el vestido de su madre—. Ya sé que es más importante la manera de ser que el aspecto físico, pero lo único que quería era estar mona.

—Claro que sí —la tranquilizó su madre—. Digamos lo que digamos, todos queremos tener buen aspecto.

Ramona suspiró tristemente.

—Y vas a estar monísima —continuó la señora Quimby—, en cuanto te laves el pelo para quitarte toda la laca y te peines a tu manera. Ten en cuenta que de lo que se trataba era de que te cortaran el pelo.

Bea miró a su madre con la cara hinchada y llena de lágrimas.

—¿De verdad crees que me va a quedar bien cuando me lo lave?

—De verdad —dijo la señora Quimby—. Sólo tienes que lavártelo y peinártelo.

Bea se enderezó en el asiento y soltó un suspiro de puro agotamiento.

Madre e hija habían olvidado al duende encantador que llevaban en una esquina del asiento trasero. Ramona pensó que más le valía llegar a casa sin devolver por el camino. No quería despeinarse.

Beverly Cleary, 7 años

Acerca de la autora
Beverly Cleary

Beverly Cleary ha escrito más libros sobre Ramona Quimby que sobre cualquier otro personaje. Quizá es porque Ramona y ella tienen mucho en común. Cuando era una niña, Cleary tenía el pelo castaño y lacio y solía llevarlo corto. Le encantaba leer e ir a la biblioteca. Y, como Ramona, Cleary también se mareaba cada vez que iba en un carro.

Alan Tiegreen, 9 años

Acerca del ilustrador
Alan Tiegreen

Hay una escena en *Ramona empieza el curso*, en la que Ramona y Bea ponen patas arriba la cocina. Esa es la ilustración favorita de Alan Tiegreen porque le recuerda aquella vez, hace muchos años, en que echó agua en el gran recipiente de azúcar de la cocina. Añadió más agua para intentar nivelar el azúcar, pero terminó estropeándolo aun más.

254

Elige tu propio estilo

Comparte una experiencia

Cuentos peluqueros

¿Cómo fue el peor corte de pelo que te han hecho? ¿Te sentiste igual que Bea? Cuenta a un grupo pequeño de tu horrible corte de pelo. Si quieres, dibújate con el aspecto que tenías.

Haz un anuncio

Corte de pelo con lavado

Haz un anuncio publicitario para la Escuela de Peluquería Roberto. Haz un afiche, diseña un cartel o elige otro tipo de anuncio. Incluye un dibujo de Ramona o escribe algo que ella pueda decir sobre su corte de pelo.

El perrito deseado

Un ensayo persuasivo por Jonathan Gordillo

¿Has querido tu propio perrito? Jonathan quiere uno. Así es cómo trató de convencer a su mamá.

El perrito deseado

Yo deseo tener un perrito porque no tengo hermanos ni hermanas con quien jugar. El perrito nos serviría de compañía a mí y mi familia. Sería mi mascota. Jugaríamos juntos en mis ratos libres. El perrito dormiría en una canasta cerca de mi cama y no molestaría a nadie.

Me gustaría adquirirlo de una tienda de mascotas. Ya empecé a ahorrar dinero para comprar el perro y pagar por los gastos de mantenimiento. Yo hago tareas caseras. Saco la basura y paso la aspiradora. Pongo el dinero que me da mi mamá en una alcancía. También le prometí a mi mamá que no le pediría que me comprara juguetes por seis meses si me ayuda a comprar el perro.

Si tuviera un perrito, lo cuidaría mucho y le daría mucho cariño. Yo entrenaría al perrito. Pienso leer un libro acerca de cómo debo entrenar un perro. Cuando el perro haga travesuras lo voy a reprender, y le enseñaré a no hacerlas. Si por algún motivo se enfermara, lo llevaría al veterinario. Me ocuparé de darle de comer, bañarlo y sacarlo a caminar.

Merezco tener un perrito porque soy estudioso y responsable en la escuela. Siempre respeto a los demás y ayudo a mi mamá.

El día que lo logre voy a ser muy feliz.

Jonathan Gordillo
Academia Bilingüe Hermán Badillo
Buffalo, Nueva York

Jonathan tiene nueve años. Sus pasatiempos favoritos son coleccionar figuritas de acción, jugar con juegos de vídeos, leer cuentos de animales y pintar dibujos. Cuando sea grande, quiere ser un pintor famoso.

Un calendario para niños

por Margo McLoone-Basta y Alice Siegel

Los días del año serían muy aburridos si sólo estuvieran numerados del 1 al 365 sin fiestas especiales, cumpleaños y eventos. Este calendario se diseñó para que los niños celebraran, tanto los días serios del año como los tontos. Haz de cada día un día especial al descubrir un hecho nuevo, al recordar a una persona importante o al divertirte con una celebración fuera de lo común.

Enero

3 Día de beber con popote

El popote fue patentado este día de 1888.

20 Día del sombrero

Este día se celebran los diferentes tipos de sombreros de todo el mundo.

30 Día de intercambiar la bolsa del almuerzo

Para animar el almuerzo, intercambia tu bolsa con un amigo.

Febrero

11 Día nacional de los inventores

14 Día de San Valentín

Feliz día de San Valentín

Marzo

1 Día nacional del cerdo

22 Día nacional de las payasadas

Abril

11

Este día de 1947, Jackie Robinson se convirtió en el primer jugador afroamericano que participó en las ligas mayores de béisbol.

22 Día de la Tierra

259

Mayo

1 Día de mayo

Un día para cestas de mayo, mayos y festivales de flores.

5 Cinco de Mayo

Ésta es una fiesta nacional mexicana que celebra la victoria mexicana sobre los franceses en la batalla de Puebla de 1867.

Junio

2

El primer partido nocturno de béisbol se jugó en Fort Wayne, Indiana, en 1883.

18 Día internacional del picnic

30

En este día de 1859, el acróbata francés Charles Blondin cruzó las cataratas del Niágara caminando por la cuerda floja.

Julio

4 ¡Feliz cumpleaños, EE.UU.!

Los Estados Unidos de América nacieron en 1776.

15 Día nacional del helado

20

Los primeros hombres que pisaron la Luna fueron Neil Armstrong y Edwin "Buzz" Aldrin Jr., en 1969.

Agosto

5 Día de la familia

13 Día nacional de los zurdos

Septiembre

5 Día nacional de ser impuntual

12 Día de comer un pepinillo

19

En 1928, el ratón Mickey apareció en su primera película.

Octubre

20

En 1873 fue el estreno del Circo Ringling Brothers y Barnum y Bailey.

28

Este día, en 1886, se dedicó la Estatua de la Libertad.

Noviembre

17 Día del pan casero

Disfruta haciendo y comiendo pan casero.

21 Día mundial del saludo

Hola

Hello

Jambo

Konnichiwa

Bonjour

Shalom

Diciembre

17

En 1903, Orville y Wilbur Wright realizaron con éxito el primer vuelo en avión.

22 Día internacional del árbol

Éste es el día para promover la plantación de los árboles.

28

El norteamericano William Semple patentó el chicle este día de 1869.

Acerca de la autora
Patricia Maloney Markun

Cuando estaba viviendo en Panamá, Patricia
Maloney Markun escuchó un rumor acerca de un
niño que vivía en una lejana provincia, y que había
pintado su casa con pinturas de todos los colores.
Markun decidió viajar al pueblo del chico para
ver aquello. Cuando vio la casa, quedó tan
impresionada con la creatividad del niño que
se inspiró para escribir un cuento sobre él.

Acerca del ilustrador
Robert Casilla

Robert Casilla vivió algún tiempo en Puerto Rico
cuando era niño, y dijo que aquel lugar era como el
paraíso. Casilla disfrutó mucho trabajar en *El
pequeño pintor de Sabana Grande* porque el
escenario le hacía acordarse de Puerto Rico. Robert
Casilla vive en Nueva York. A la derecha aparece en
una foto con su hijo, Robert Casilla, Jr.

El pequeño pintor de Sabana Grande

por Patricia Maloney Markun

ilustrado por Robert Casilla

En lo alto de las montañas de Panamá está el pueblo de Sabana Grande. Es un pueblo muy pequeño. Hay sólo siete casas de arcilla y adobe a una orilla de un arroyo situado en una pradera cubierta de hierba. En la casa del medio vive la familia Espino.

Al amanecer de una mañana tranquila de color morado, el gallo del vecino cantó. Los Espino se levantaron.

Papá salió al campo para ordeñar la vaca.

Mamá agitó la lumbre en la cocina al aire libre y frió unas doradas tortillas para el desayuno.

Fernando enrolló el tapete de paja donde dormía y lo puso en una esquina. Se fue de prisa a la cocina para comerse sus tortillas rápidamente.

Era un día importante. En la escuela, Fernando había aprendido a colorear los dibujos con creyones. Ahora la escuela estaba en receso por las vacaciones de la temporada seca, y Fernando iba a pintar por primera vez.

Su maestra, la señora Arias, le había explicado exactamente cómo los campesinos de Panamá hicieron sus primeras pinturas. Le dijo:

—El negro, del carbón de un tronco quemado.

El azul, de ciertas moras que crecen en las profundidades de la selva.

El amarillo, de los pastos secos de la pradera.

Y el rojo, de la arcilla del fondo del arroyo.

Le tomó mucho tiempo hacer las pinturas. El negro fue fácil, ya que había un tronco quemado cerca de la casa de adobe de los Espino.

Pero Fernando tuvo que buscar y buscar antes de encontrar aquellas moras en las profundidades de la selva para preparar el color azul.

En un rincón de la pradera, encontró un manojo de hierba muy seca y con ella hizo una vasija grande de pintura amarilla.

Fernando merodeó por la orilla del arroyo en busca de arcilla. No podía alcanzar el fondo porque el agua que corría velozmente era demasiado profunda. Por fin, llegó a un recodo del arroyo donde el agua era poco profunda. Alcanzó el fondo y pudo extraer un puñado de arcilla. Era roja, exactamente como la señora Arias había dicho.

Ahora, sus pinturas estaban mezcladas y en cuatro vasijas: el negro, el azul, el amarillo y el rojo. Luego, sacó los tres pinceles que su maestra le había dado: uno muy pequeño, otro mediano y uno realmente grande.

"Ya estoy listo para pintar cuadros", se dijo Fernando. Tomó el pincel pequeño y lo sumergió en la vasija del color rojo. De repente, tuvo un pensamiento terrible.

¡No tenía en dónde pintar sus dibujos! Un artista necesita papel.

Buscó en las dos habitaciones de su casa. No
encontró ni un solo papel.

Corrió de casa en casa preguntando a todos en
Sabana Grande si tenían papel para pintar. Ninguno de
los vecinos tenía papel; ni siquiera un pedazo.

Fernando estaba triste. Después de tanto trabajo no
iba a poder pintar sus cuadros, aquellos cuadros que ya
tenía representados en su mente. Tenía tantos deseos de
dibujar. Las pinturas y los pinceles no eran suficientes.
También necesitaba papel.

273

Sus dedos deseaban pintar algo, cualquier cosa. Dejó sus pinceles, y regresó al fango cerca del arroyo. Recogió un palito y dibujó sobre la tierra húmeda, de la misma forma en que lo hacía cuando era pequeño.

El gallo grande que lo despertaba todas las mañanas salió del gallinero del vecino. Fernando lo miró y dibujó la forma de un gallo. Suspiró. No podía utilizar sus nuevas pinturas de color rojo y amarillo para dibujar un reluciente gallo. No podía pintar de rojo la cresta del gallo. Sólo podía garabatear el dibujo de un gallo color de lodo. No era lo mismo que hubiera sido pintar. Lo que estaba haciendo no tenía color.

Fernando miró las casas de adobe de su pueblo. De pronto, tuvo una idea. El adobe era suave y blanco, casi como el papel. ¿Por qué no pintar en el exterior de la casa de su familia?

—¡No! —dijo Papá—. ¿A quién se le ocurre pintar los exteriores de la casa?

—¡No! —confirmó Mamá—. ¿Qué dirían los vecinos?

Fernando miró sus vasijas de pinturas y se sintió muy triste. Deseaba pintar cuadros, más que cualquier otra cosa.

Por fin Papá le dijo: —No soporto ver a mi hijo tan infeliz. Está bien, Fernando, ¡anda y ve a pintar las paredes de la casa!

Mamá dijo: —Hazlo lo mejor que puedas, Fernando. Recuerda que los vecinos tendrán que mirar tus cuadros por mucho tiempo.

Primero, Fernando hizo un pequeño esbozo de los dibujos que iba a pintar. Lo hizo con su pincel más pequeño en una esquina de la casa.

—Tu esbozo me parece bueno, Fernando —dijo Papá—. Si puedes hacer dibujos pequeños, puedes hacerlos grandes también.

Fernando tomó sus pinceles grandes y, sobre el lado izquierdo de la entrada, comenzó a pintar un enorme dibujo del árbol más hermoso de Panamá, el flamboyán. Mientras pintaba, alzó la vista y vio cómo, al principio de la temporada seca, se abrían las flores rojas del flamboyán en la ladera de la montaña.

Los vecinos estaban muy sorprendidos.

La señora Endara gritó: —¡Vengan a ver lo que está haciendo Fernando!

El señor Remon dijo: —¿Se ha visto alguna vez una casa con pinturas en el exterior?

Pepita, la vecinita, le preguntó: —¿Tu mamá sabe que estás pintando tu casa?

Fernando asintió, sonrió y siguió pintando. De vez en cuando miraba hacia las montañas para ver el verdadero flamboyán. Una semana después, sus flores se marchitaron y murieron. Pero el árbol de Fernando crecía grande, más brillante y más rojo.

En una rama, añadió un tucán negro con un pico plano y amarillo. En otra rama, un perezoso color marrón, colgado de sus tres pezuñas.

Los vecinos trajeron sillas. Mientras Fernando pintaba, tomaban café y lo miraban pintar.

Después pintó la pared al otro lado de la puerta. Una enredadera imaginaria con verdes hojas planas y enormes flores moradas trepaba por la pared.

Se corrió la voz sobre el pequeño pintor de Sabana Grande. Incluso la gente de Santa Marta, un poblado al otro lado de la montaña, vino al pueblo para verlo pintar. La enredadera morada ahora casi llegaba hasta el techo de paja.

Un día, la señora Arias vino de la escuela de Santa Marta. "¿Por qué lo estaría buscando su maestra?" se preguntó Fernando. Todavía era la temporada seca y no había clases. Hacía un mes que no llovía.

—La escuela no ha empezado aún —dijo su maestra—. Vine a ver tu casa de adobe pintada de la que todo Santa Marta habla. Fernando, lo has logrado muy bien con esos pinceles. ¡Me encanta!

Se volteó hacia los vecinos. —¿Y ustedes?

—¡Claro que sí! —replicaron los vecinos.

Sirvieron un poco de café para recibir a la maestra.

—Fernando, ¿podrías pintar mi casa? —preguntó la señora Alfaro.

—¿Y la mía también? —preguntó el señor Remon.

Fernando asintió con la cabeza, pero siguió pintando.

Para hacerlo gracioso, agregó un mono negro con cara blanca mirando a la gente a través de las flores moradas.

Junto a la puerta, pintó un enorme gallo rojo y amarillo que agitaba su cresta roja mientras cacareaba un sonoro "¡ki-ki-ri-ki!"

Encima de la puerta pintó las palabras CASA FAMILIA ESPINO para que la gente supiera que ahí vivía la familia Espino.

Había terminado de pintar. Fernando se sentó junto a su maestra y los vecinos. Todos elogiaron sus pinturas.

Fernando no dijo nada; sonrió y pensó en silencio, sabiendo que en Sabana Grande todavía quedaban seis casas de adobe por pintar.

Cuadro por Fernando Espino
(Colección privada de Patricia Maloney Markun)

¡A trabajar!

Pinta un cuadro

El pequeño pintor de...

Fernando es el pequeño pintor de Sabana Grande. Creó cuadros especiales en las casas de su pueblo. Si fueras un pintor, ¿qué pintarías? Pinta un cuadro que demuestre lo especial que es tu hogar.

Muestra un pasatiempo

¿Qué te gusta hacer?

Si Fernando estuviera en tu salón de clases, te enseñaría cómo mezcla sus pinturas. ¿Cuál es tu pasatiempo favorito? Preséntales a tus compañeros tu pasatiempo favorito o trae una pequeña colección de tu hogar.

Azul

287

Una escena isleña, *Amos Ferguson*

La mañana

Despertaos, niñitos,
que ya es la hora.
Os llama la campana
madrugadora.
¡Dan... Dan...!

La mañana parece
de plata y oro.
Todos los pajaritos
cantan en coro
¡Dan... Dan...!

Desde mi torre veo
cercos y prados,
todos con florecitas
engalanadas.
¡Dan... Dan...!

Apuraos, niñitos,
que el desayuno
alza ya en nuestra mesa
sus rulos de humo,
¡Dan... Dan...!

por Juana de Ibarbourou

¡Vaya día!

Cuatro niños cuentan sobre días increíbles.

Día de lavar

Jamie Coleman
Escuela North Jackson
Jackson, Misisipí

Un día, el verano pasado, mi lavadora se volvió loca. Estaba lavando la ropa de mis padres. Después de poner la ropa a lavar, yo fui a por galletas y leche. Escuché un golpe estruendoso, así que volví corriendo al cuarto de lavar. La lavadora estaba saltando arriba y abajo.

Corrí al cuarto de mi mamá y le dije que viniera rápidamente. Nos apresuramos a volver y vimos la lavadora echando agua a chorros por todas partes. Cuando la intentamos apagar, nos empapamos de agua. Por fin, mi mamá la apagó.

Había agua por el suelo y por las paredes. Recogí el agua con la mopa y mi mamá llamó a mi papá al trabajo. Mi papá vino a casa y arregló la lavadora.

Y fue así que terminé de lavar la ropa. ¡Por fin, pude comerme las galletas y la leche!

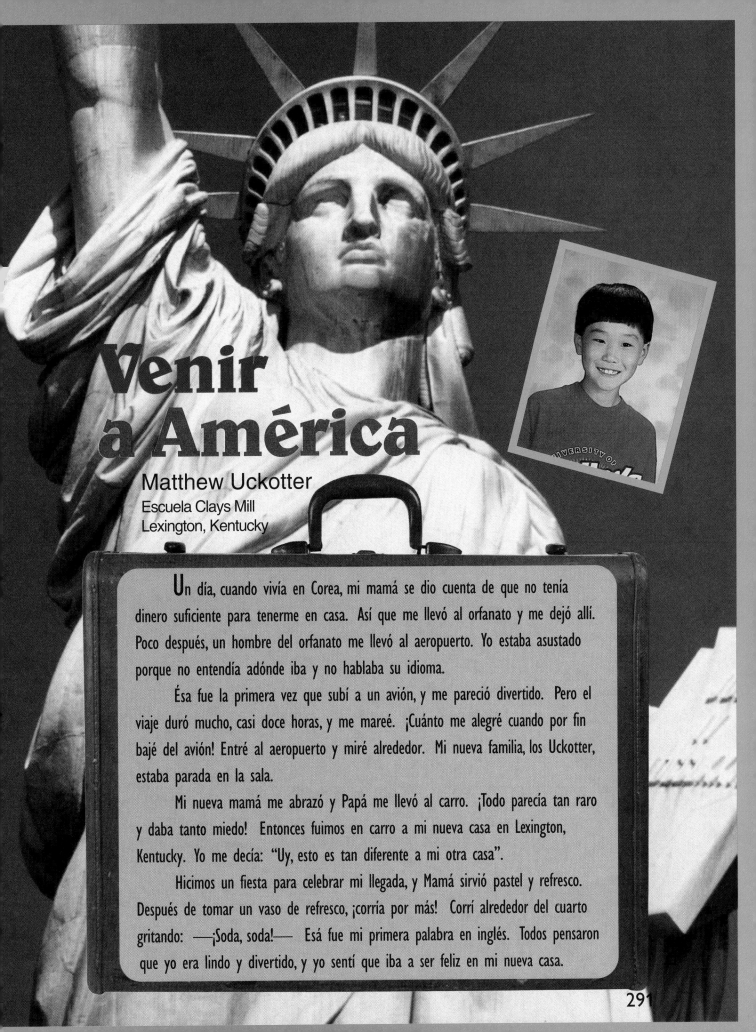

Venir a América

Matthew Uckotter
Escuela Clays Mill
Lexington, Kentucky

Un día, cuando vivía en Corea, mi mamá se dio cuenta de que no tenía dinero suficiente para tenerme en casa. Así que me llevó al orfanato y me dejó allí. Poco después, un hombre del orfanato me llevó al aeropuerto. Yo estaba asustado porque no entendía adónde iba y no hablaba su idioma.

Ésa fue la primera vez que subí a un avión, y me pareció divertido. Pero el viaje duró mucho, casi doce horas, y me mareé. ¡Cuánto me alegré cuando por fin bajé del avión! Entré al aeropuerto y miré alrededor. Mi nueva familia, los Uckotter, estaba parada en la sala.

Mi nueva mamá me abrazó y Papá me llevó al carro. ¡Todo parecía tan raro y daba tanto miedo! Entonces fuimos en carro a mi nueva casa en Lexington, Kentucky. Yo me decía: "Uy, esto es tan diferente a mi otra casa".

Hicimos un fiesta para celebrar mi llegada, y Mamá sirvió pastel y refresco. Después de tomar un vaso de refresco, ¡corría por más! Corrí alrededor del cuarto gritando: —¡Soda, soda!— Ésa fue mi primera palabra en inglés. Todos pensaron que yo era lindo y divertido, y yo sentí que iba a ser feliz en mi nueva casa.

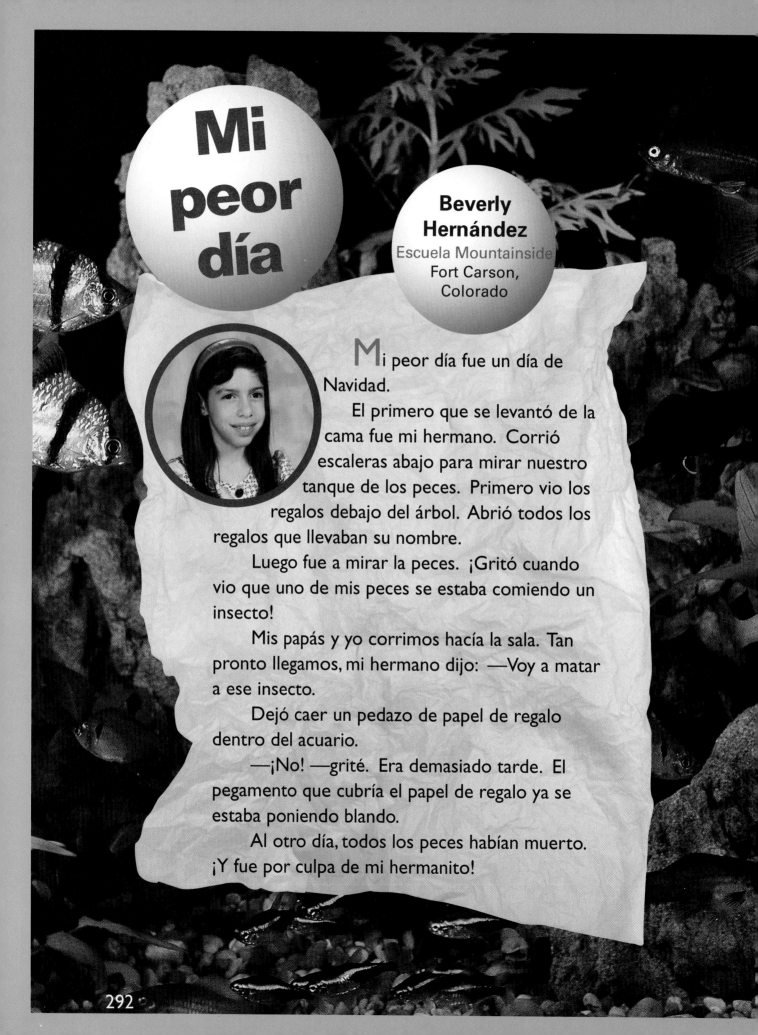

Mi peor día

Beverly Hernández
Escuela Mountainside
Fort Carson,
Colorado

Mi peor día fue un día de Navidad.

El primero que se levantó de la cama fue mi hermano. Corrió escaleras abajo para mirar nuestro tanque de los peces. Primero vio los regalos debajo del árbol. Abrió todos los regalos que llevaban su nombre.

Luego fue a mirar la peces. ¡Gritó cuando vio que uno de mis peces se estaba comiendo un insecto!

Mis papás y yo corrimos hacía la sala. Tan pronto llegamos, mi hermano dijo: —Voy a matar a ese insecto.

Dejó caer un pedazo de papel de regalo dentro del acuario.

—¡No! —grité. Era demasiado tarde. El pegamento que cubría el papel de regalo ya se estaba poniendo blando.

Al otro día, todos los peces habían muerto. ¡Y fue por culpa de mi hermanito!

Jugar a los bolos

Joe Sturdivant
Escuela Clays Mill
Lexington, Kentucky

Un sábado cuando yo estaba en casa de Bryan, su papá dijo: —¡Vamos a jugar a los bolos!

En la bolera escogimos nuestros zapatos, tomamos nuestra bola y encontramos nuestra calle. Cuando me tocó el turno de lanzar, me preparé y giré hacia atrás el brazo con la bola... ¡Bum! Al mover mi brazo hacia delante, ¡ya no había bola!

Todo el mundo se volvió a mirarme, y pasé mucha vergüenza. Di la vuelta y vi mi bola muy lejos, cerca de los asientos. Tuve que ir a recogerla y empezar de nuevo.

Esta vez, lancé la bola despacio e hice un pleno. Una viejecita, que era muy buena jugadora, me felicitó, chocó su mano levantada contra la mía, y me sentí muy orgulloso. Cuando volvió a ser mi turno, tiré todos los bolos menos uno, e hice un total de 44 puntos.

Luego, en mi siguiente intento, sólo tiré uno. Pero cuando pensaba que yo era un jugador horrible, volví a hacer otro pleno.

El papá de Bryan dijo:

—Joe, juegas muy bien a los bolos.

Aunque había pasado vergüenza cuando perdí la bola, tuve que darle la razón, ¡soy un buen jugador!

293

Acerca de GAIL GIBBONS

Gail Gibbons da este consejo a los escritores jóvenes: —Escribe sobre algo que conozcas. Escribe sobre lo que te gusta. ¡Lo disfrutarás mucho más!

Gibbons sigue su propio consejo. Le encanta ir al cine. Por eso escribió un libro sobre él. Como vive parte del año en una isla de Maine, también escribió sobre el estado y su historia. Y su amor por los animales la llevó a escribir muchos libros sobre el tema, entre ellos *¡Di guau! Una jornada de un veterinario rural.*

UNA JORNADA DE UN VETERINARIO RURAL

POR GAIL GIBBONS

Un perro, un gatito, un cabrito, un periquito y otro
perro. Todos ellos son los pacientes de un hospital de
animales. Temprano por la mañana, la gente y sus
mascotas ya están aquí.

Están esperando para ver al veterinario. Un
veterinario es un doctor que cuida a los animales, al igual
que otros doctores cuidan de las personas.

VETERINARIO RURAL

A este veterinario rural le encantan los animales y quiere ayudarlos. Antes de poder abrir su propio hospital de animales, tuvo que ir a una escuela especial después de la universidad, del mismo modo que un doctor va a la escuela de medicina. Tuvo que aprender a cuidar muchos tipos diferentes de animales: animales domésticos y animales de granja.

AYUDANTE

Antes de ver a sus pacientes, el veterinario observa a
los animales que han pasado la noche en el hospital.
Algunos son inquilinos que están allí mientras sus dueños
están fuera de casa. Otros están allí porque son pacientes.
El veterinario revisa a una perrita que operó ayer. Todo
está bien. Su dueña vendrá pronto a recogerla. Un
ayudante acaba de terminar de limpiar sus jaulas. Les da
agua fresca y comida a los que lo necesitan.

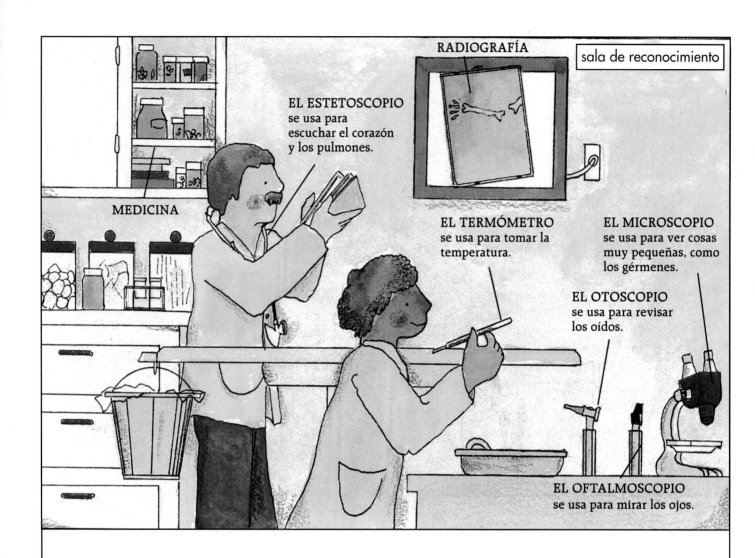

EL ESTETOSCOPIO
se usa para
escuchar el corazón
y los pulmones.

MEDICINA

RADIOGRAFÍA

sala de reconocimiento

EL TERMÓMETRO
se usa para tomar la
temperatura.

EL MICROSCOPIO
se usa para ver cosas
muy pequeñas, como
los gérmenes.

EL OTOSCOPIO
se usa para revisar
los oídos.

EL OFTALMOSCOPIO
se usa para mirar los ojos.

Son las nueve. Las horas de consulta han empezado.
El veterinario revisa su cuaderno de citas en la sala de
reconocimiento. Su otro ayudante comprueba si todos los
instrumentos médicos están limpios y listos.

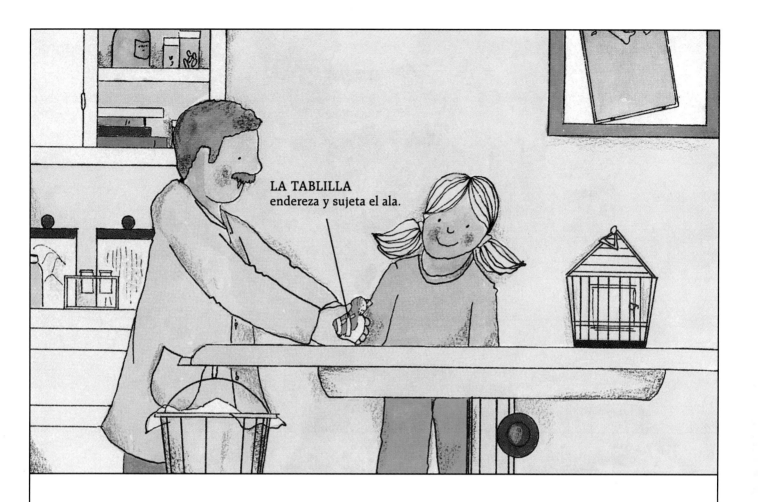

LA TABLILLA
endereza y sujeta el ala.

Aquí está el primer paciente, un periquito con un ala
rota. La dueña le dice al veterinario que su pájaro se
estrelló contra una pared. El veterinario toca suavemente
la rotura y le pone una tablilla con cuidado.

—Vuelva dentro de cinco días —le dice a la dueña—.
Entonces veré cómo mejora el ala.

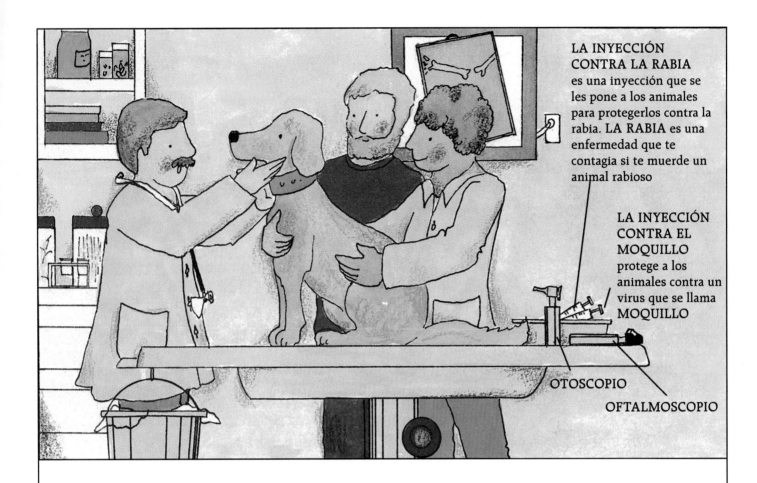

LA INYECCIÓN CONTRA LA RABIA es una inyección que se les pone a los animales para protegerlos contra la rabia. LA RABIA es una enfermedad que te contagia si te muerde un animal rabioso

LA INYECCIÓN CONTRA EL MOQUILLO protege a los animales contra un virus que se llama MOQUILLO

OTOSCOPIO

OFTALMOSCOPIO

—Wilton es el siguiente —llama el ayudante. Wilton está aquí para su revisión anual. El veterinario revisa sus ojos y oídos. Mira la piel del perro.

—¡Di guau! —bromea el veterinario mientras mira dentro de la garganta de Wilton. Después el veterinario toca su cuerpo y toma su temperatura. Wilton es un perro muy sano. Lo único que necesita son las vacunas contra la rabia y el moquillo.

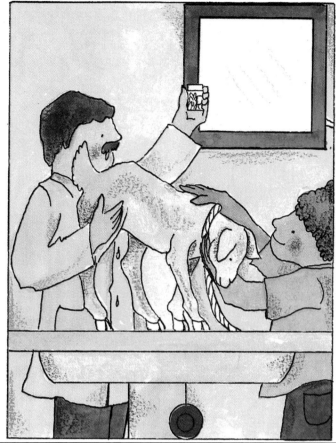

¿Quién es el siguiente? ¡Un lindo gatito! El veterinario lo examina. Está sano y sólo necesita algunas inyecciones que todos los gatitos tienen que recibir. El siguiente paciente es una cabrita. Le duele el estómago y se niega a comer. El veterinario la reconoce y le dice al dueño que se va a poner bien.

—Sólo dele estas pastillas tres veces al día —dice.

ALINEAR
significa volver
a poner en su
posición correcta

¡Emergencia! Alguien acaba de traer una marmota bebé atropellada por un camión. Tiene una pata rota. El veterinario alinea y entablilla la pata, y le dice a su ayudante que ponga al animal en una de las jaulas. Por fin, examina a la perrita que ha estado esperando con mucha paciencia en la sala de espera. La perrita tiene una infección en un ojo.

—Póngale esta crema en el ojo una vez al día durante una semana. Después vuelva a verme —le dice el veterinario a la dueña.

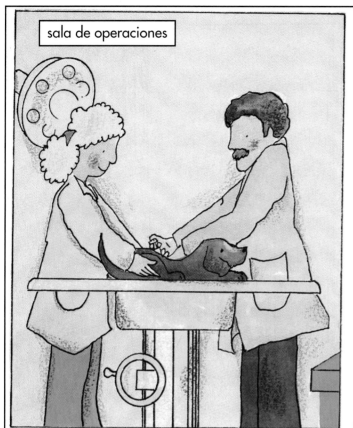

sala de operaciones

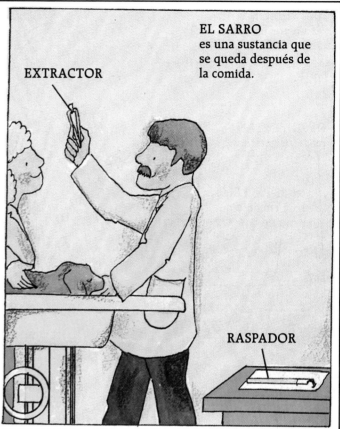

EXTRACTOR

EL SARRO
es una sustancia que
se queda después de
la comida.

RASPADOR

Son las once. La hora de la cirugía. Dos animales pasaron allí la noche porque tienen que ser operados hoy. El primer paciente se llama Beto. Al pobre Beto le duele un diente. El veterinario le pone una inyección para dormirlo. Luego encuentra el diente enfermo de Beto y se lo saca. Mientras Beto sigue dormido, el veterinario limpia el sarro de los otros dientes para que no se le infecten.

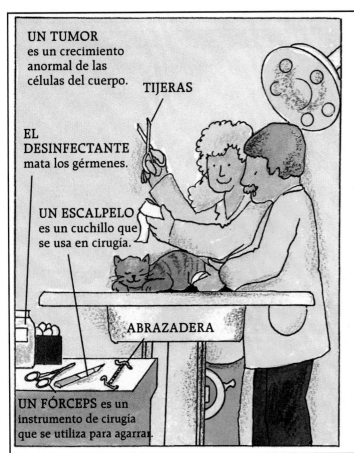

UN TUMOR es un crecimiento anormal de las células del cuerpo.

TIJERAS

EL DESINFECTANTE mata los gérmenes.

UN ESCALPELO es un cuchillo que se usa en cirugía.

ABRAZADERA

UN FÓRCEPS es un instrumento de cirugía que se utiliza para agarrar.

El otro paciente es una gata. Tiene un bulto que se llama tumor en una pata. Después de la inyección, la gata se duerme. El veterinario corta el tumor con cuidado y se lo quita. Después cose a la gata o le da puntos. Desinfecta el área y pone una gasa con esparadrapo suave. La colocan con mucho cuidado otra vez en su jaula.

¡Qué mañana tan ocupada! Es hora de descansar un poco y almorzar. Suena el teléfono. Es otro veterinario de una ciudad cercana. Quiere saber sobre una medicina nueva que el veterinario ha estado usando. Los veterinarios tienen que mantenerse al día con los últimos descubrimientos médicos.

   Los veterinarios rurales sólo pasan parte del día en
sus clínicas. Pasan el resto del tiempo en la carretera
cuidando a los animales en las granjas, en los establos y
en las casas. El veterinario revisa su libro de citas. Luego
recoge todas las muestras de sangre que ha tomado de
algunos de sus pacientes para llevarlas al laboratorio
médico.

Afuera, uno de sus ayudantes está en el camión,
metiendo todo lo que el veterinario puede necesitar para
examinar a los animales que va a visitar. Se van.

MUESTRA
DE SANGRE

LA BRUCELOSIS
es una enfermedad que da
fiebre al ganado y a la gente.

Es la una y media. Primera parada. Llegan a una
granja donde el veterinario toma muestras de sangre de
las vacas del granjero. Esta sangre va a ser analizada en un
laboratorio estatal para ver si las vacas tienen una
enfermedad llamada brucelosis. Los granjeros no pueden
vender leche o vacas para carne si tienen esta enfermedad.

La siguiente parada es en un establo. Uno de los
caballos tiene una pata herida, está cojo. El veterinario le
pone una inyección para quitarle el dolor.

—Pasaré por aquí mañana para ver qué tal va —dice
el veterinario.

LA BRUCELANÉMICO
quiere decir que no hay
bastantes células rojas
en la sangre.

En la siguiente parada, un granjero tiene unos
cerditos recién nacidos.

—¿Puede reconocerlos? —pregunta el granjero. Los
cerditos se ponen a gruñir mientras el veterinario y su
ayudante los reconocen. A todos les ponen una inyección
de hierro para que no se pongan anémicos. Son cerditos
muy sanos.

La siguiente granja es de ovejas. El veterinario corta
las colas de los corderos, es decir, los descola. Si no lo
hiciera, sus colas se ensuciarían y atraerían montones de
pulgas que los molestarían mucho. Es mejor hacerlo
cuando son corderos porque duele menos que si
estuvieran crecidos. El veterinario y el ayudante abrazan a
cada cordero.

—Todo estará bien —dicen.

Una voz sale del camión del veterinario.

—¡Emergencia! —desde la clínica y con una radio especial, el ayudante está llamando al veterinario.

—¿Sí? —responde.

—El perro de la señora Márquez acaba de ser atropellado por un carro. ¡Por favor, vuelva rápido! —dice el ayudante.

El veterinario y su ayudante se suben corriendo al camión. ¡Se van!

La señora Márquez está muy trastornada. El veterinario, con mucho cuidado, comprueba el cuerpo y las patas del perro para ver si hay algún hueso roto. Escucha con el estetoscopio. Todo está bien.

El veterinario mira los ojos del perro. Entonces, comprueba el color de sus encías. Están bien y rosadas.

—Está más atontado que otra cosa —le dice el veterinario a la señora Márquez—. Mañana estará bien.

Son las cuatro y media. Paran en el laboratorio para dejar las muestras de sangre. El laboratorio tendrá los resultados listos mañana. Después vuelven a la clínica.

Qué día más largo. Son las seis. El veterinario visita
en sus jaulas a los dos pacientes que tuvieron cirugía.
Están bien y podrán volverse mañana a casa con sus
familias. Revisa su diario, lo que escribió cada vez que
visitó un sitio hoy. Revisa también su horario del día
siguiente.

Uno de los ayudantes toma nota de las facturas que se han pagado hoy. Se limpian las jaulas y se les da agua fresca a los animales. La pequeña marmota está bien. Cuando sea mayor y esté completamente bien, el veterinario piensa devolverla a su hogar natural, los campos.

Es hora de que el veterinario rural y sus ayudantes
vuelvan a casa. Esta noche puede haber otra emergencia.
Si no, mañana será otro día muy ocupado con el cuidado
de los animales.

Trabaja con estas ideas

Haz un horario

Otro día muy ocupado

Usa los hechos, los dibujos y las horas de la selección para escribir el horario de un día de un veterinario. Incluye algo para cada hora o media hora.

Haz un diccionario

Instrumentos de trabajo

Con un grupo de compañeros, haz un diccionario con dibujos de los instrumentos que un veterinario usa. Haz dibujos de los instrumentos, y escribe el nombre y su uso.

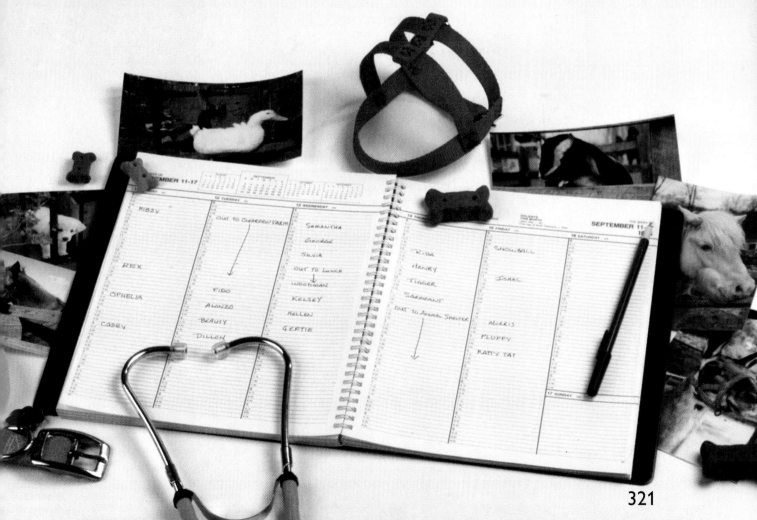

Celebración

Bailaré esta noche.
Cuando la penumbra llegue
   arrastrándose,
se bailará
   y se festejará.
Bailaré con los otros
   en círculos,
    a saltos,
      a pisotones.
Risa y charla
   se tejerán dentro de la noche,
entre los fuegos
   de mi gente.
Se jugarán juegos
y yo seré
   parte de ello.

Alonzo López
ilustración por Tomie dePaola

322